Mathemateg
TGAU

Y Llyfr Adolygu

Lefel Sylfaenol

Ar gyfer y fanyleb dwy haen newydd

PRIFYSGOL
ABERYSTWYTH

Cynnwys

Y fersiwn Saesneg gwreiddiol:
GCSE Mathematics The Revision Guide Foundation Level
Cyhoeddwyd gan Co-ordination Group Publications Ltd.

Testun, dyluniad, gosodiad a darluniau gwreiddiol
© Richard Parsons 2006

Y fersiwn Cymraeg hwn:
© Prifysgol Aberystwyth, 2010 ⓗ

Cyhoeddwyd gan CAA, Prifysgol Aberystwyth,
Plas Gogerddan, Aberystwyth, SY23 3EB
(www.caa.aber.ac.uk).
Noddwyd gan Lywodraeth Cynulliad Cymru.

Cyfieithydd: Ffion Kervegant
Golygydd: Lynwen Rees Jones
Dylunydd: Andrew Gaunt
Argraffwyr: Argraffwyr Cambria

Diolch i Gordon Owen a Peredur Powell am eu cymorth wrth
brawfddarllen.

ISBN: 978-1-84521-384-8

Rhifau Mawr

Mae angen i chi fod yn gallu:

1) <u>Darllen rhifau mawr</u>   E.e. sut y byddech chi'n darllen 1,734,564?
2) <u>Ysgrifennu rhifau mawr</u>   E.e. ysgrifennu "<u>Tri deg dau mil a thri</u>" fel rhif.

Grwpiau o Dri   Cofiwch edrych ar rifau mawr fel <u>grwpiau o dri</u>.

2,351,243

MILIYNAU   MILOEDD   a'r gweddill

(h.y. 2 filiwn, 351 mil, 243) neu wedi ei ysgrifennu yn llawn mewn geiriau:
Dwy filiwn, tri chant pum deg un mil, dau gant pedwar deg tri)

1) Dechreuwch o <u>ochr dde</u> eithaf y rhif bob tro →
2) Ewch i'r <u>chwith</u>, ←, rhowch goma <u>bob 3 digid</u> i dorri'r rhif yn <u>grwpiau o 3</u>.
3) Nawr ewch i'r <u>dde</u>, → <u>darllenwch bob grŵp o dri</u> fel rhif ar wahân ac ysgrifennwch "miliwn"
   (neu "filiwn") a "mil" ar ôl y ddau grŵp cyntaf (gan gymryd yn ganiataol bod 3 grŵp i gyd).

Rhoi Rhifau yn ôl Trefn Maint

<u>Enghraifft</u>:   12   84   623   32   486   4,563   75   2,143

① Er nad yw hyn yn anodd fel y cyfryw, mae bob amser yn werth gwneud hyn mewn dau gam.
I ddechrau, rhowch nhw mewn grwpiau, y rhai â'r nifer lleiaf o ddigidau yn gyntaf:

(y rhai 2 ddigid,   yna'r rhai 3 digid   yna'r rhai 4 digid, ayb)
12   84   32   75,   623   486,   4,563   2,143,

② Yna rhowch bob grŵp gwahanol yn ôl trefn maint:

12   32   75   84,   486   623,   2,143   4,563,

Yn achos degolion gwnewch y rhan rhif cyfan yn gyntaf cyn edrych ar yr hyn sy'n dod ar ôl y pwynt. Gyda rhifau rhwng 0 ac 1, yn gyntaf grwpiwch nhw yn ôl nifer y seroau sydd ar ôl y pwynt. Mae'r grŵp â'r nifer mwyaf o seroau ar ôl y pwynt yn dod gyntaf, yn union fel hyn:

(y rhai â dau 0 ar ôl y pwynt,   yna'r rhai ag un 0,   yna'r rhai heb 0 ar ôl y pwynt)
0.0026   0.007,   0.03   0.098,   0.14   0.531   0.7

Unwaith y byddan nhw mewn grwpiau, trefnwch nhw drwy gymharu'r digidau cyntaf <u>sydd heb fod yn seroau</u>. (Os yw'r digidau cyntaf yr un fath, edrychwch ar y digidau nesaf atynt.)

Y Prawf Hollbwysig:

1) Ysgrifennwch y rhifau hyn yn llawn mewn geiriau:
   a) 1,234,531   b) 23,456   c) 2,415   ch) 3,402   d) 203,412
2) Ysgrifennwch hyn fel rhif: Pum deg chwech mil, pedwar cant dau ddeg un.
3) Rhowch y rhifau hyn yn ôl trefn eu maint: 23   493   87   1,029   3,004   345   9
4) Ysgrifennwch y rhifau hyn mewn trefn esgynnol: 0.37   0.008   0.307   0.1   0.09   0.2

Lluosi â 10, 100, ayb

Yn sicr dylech wybod y gwaith hwn oherwydd
a) mae'n <u>syml iawn</u>, a   b) mae'n debygol y cewch eich <u>profi ar hyn</u> yn yr Arholiad.

1) LLUOSI <u>UNRHYW RIF Â</u> <u>10</u>

<u>Symudwch</u> y Pwynt Degol <u>UN</u> lle i wneud y rhif yn <u>FWY</u> ac os bydd angen, <u>ADIWCH SERO</u> ar y diwedd.

Enghreifftiau:

$23.6 \times 10 = \underline{2\ 3\ 6}$

$345 \times 10 = \underline{3\ 4\ 5\ 0}$

$45.678 \times 10 = \underline{4\ 5\ 6}.78$

2) LLUOSI <u>UNRHYW RIF Â</u> <u>100</u>

<u>Symudwch</u> y Pwynt Degol <u>DDAU</u> le i wneud y rhif yn <u>FWY</u> ac os bydd angen <u>ADIWCH SEROAU</u>.

Enghreifftiau:

$296.5 \times 100 = \underline{2\ 9\ 6\ 5\ 0}$

$34 \times 100 = \underline{3\ 4\ 0\ 0}$

$2.543 \times 100 = \underline{2\ 5\ 4}.3$

3) LLUOSI <u>Â</u> <u>1000</u>, NEU <u>10,000</u>. Mae'r un rheol yn gymwys:

<u>Symudwch</u> y Pwynt Degol i wneud y rhif yn <u>FWY</u> ac <u>ADIWCH SEROAU</u> os bydd angen.

Enghreifftiau:

$341 \times 1000 = \underline{3\ 4\ 1\ 0\ 0\ 0}$

$2.3542 \times 10,000 = \underline{2\ 3\ 5\ 4\ 2}$

Rydych bob amser yn <u>symud</u> y **PWYNT DEGOL** fel hyn:
<u>1</u> lle ar gyfer 10,   <u>2</u> le ar gyfer 100,
<u>3</u> lle ar gyfer 1000,   <u>4</u> lle ar gyfer 10,000   ayb.

4) LLUOSI <u>Â RHIFAU FEL</u> <u>20, 300, 8000, AYB</u>

<u>Lluoswch</u> â 2 neu 3 neu 8, ayb <u>YN GYNTAF</u>,
<u>yna</u> symudwch y Pwynt Degol i wneud y rhif yn <u>FWY</u> (↶)
yn ôl y nifer o seroau.

Enghreifftiau:
Er mwyn darganfod 234 × 200, <u>yn gyntaf lluoswch â 2</u>
yna <u>symudwch y Pwynt Degol 2 le</u>

$234 \times 2 = 468,$
$= \underline{46800}$

Y Prawf Hollbwysig:

1) Cyfrifwch   a) 12.3×100 b) 345×10 c) 9.65×1000
2) Cyfrifwch   a) 2.4×20 b) 1.5×300 c) 60×3000

Rhannu â 10, 100, ayb

Mae hyn yn eithaf hawdd hefyd. Gofalwch eich bod yn gwybod y gwaith.

1) RHANNU UNRHYW RIF Â 10

Symudwch y Pwynt Degol un lle i wneud y rhif yn LLAI ac os bydd angen, TYNNWCH SEROAU ar ôl y pwynt degol.

Enghreifftiau:

$23.6 \div 10 = \underline{2.36}$

$340 \div 10 = \underline{34}$

$45.678 \div 10 = \underline{4.5678}$

2) RHANNU UNRHYW RIF Â 100

Symudwch y Pwynt Degol 2 le i wneud y rhif yn LLAI a THYNNWCH SEROAU ar ôl y pwynt degol.

Enghreifftiau:

$296.5 \div 100 = \underline{2.965}$

$340 \div 100 = \underline{3.4}$

$2543 \div 100 = \underline{25.43}$

3) RHANNU Â 1000, NEU 10,000. Mae'r un rheol yn gymwys:

Symudwch y Pwynt Degol i wneud y rhif yn LLAI a THYNNWCH SEROAU ar ôl y pwynt degol.

Enghreifftiau:

$341 \div 1000 = \underline{0.341}$

$23500 \div 10,000 = \underline{2.35}$

Rydych bob amser yn symud y PWYNT DEGOL fel hyn:
- 1 lle ar gyfer 10,
- 2 le ar gyfer 100,
- 3 lle ar gyfer 1000,
- 4 lle ar gyfer 10,000   ayb

4) RHANNU Â 40, 300, 7000 AYB

RHANNWCH Â 4 neu 3 neu 7 ayb YN GYNTAF ac yna symudwch y Pwynt Degol i wneud y rhif yn LLAI (h.y. i'r chwith ↰).

Enghreifftiau:

Er mwyn darganfod $960 \div 300$, yn gyntaf rhannwch â 3 yna symudwch y Pwynt Degol 2 le i wneud y rhif yn llai

$960 \div 3 = 320,$

$= 3.2$

Y Prawf Hollbwysig:

1) Cyfrifwch   a) $2.45 \div 10$ b) $654.2 \div 100$ c) $3.08 \div 1000$

2) Cyfrifwch   a) $32 \div 20$ b) $360 \div 30$ c) $4000 \div 800$

Lluosi Heb Ddefnyddio Cyfrifiannell

Mae'n rhaid ichi wybod yn iawn sut i wneud symiau lluosi heb gyfrifiannell – byddwch yn sicr o fod angen gwneud hyn yn yr arholiad. Felly gofalwch eich bod yn dysgu'r dulliau ar y dudalen hon ...

Lluosi Rhifau Cyfan

Mae llawer o ddulliau y gallwch eu defnyddio i wneud hyn. Dangosir dau o'r dulliau mwyaf poblogaidd isod. Gofalwch eich bod yn gallu gwneud hyn gan ddefnyddio'ch hoff ddull.

Y Dull Traddodiadol:

Rhannwch y sym yn ddwy sym luosi, ac yna adiwch y canlyniadau yn y colofnau (o'r dde i'r chwith).

```
      4 6
  x   2 7
  ─────────
    3 2 2    —— Dyma 7 × 46
      4
    9 2 0    —— Dyma 20 × 46
      1
  ─────────
  1 2 4 2
```

Y Dull 'Gelosia'

Trefnwch y cyfrifiad yn y ffordd isod a gwnewch 4 sym luosi hawdd i lenwi'r grid ...

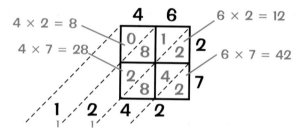

Yna adiwch ar hyd y croesliniau (o'r dde i'r chwith) i gael yr ateb.

Yr ateb yn y ddau achos: 46 × 27 = 1242

Lluosi Degolion

Mae hyn ychydig yn fwy cymhleth — felly bydd yn rhaid ichi ofalu eich bod yn dysgu'r gwaith.

1) I ddechrau, anghofiwch am y pwyntiau degol a gwnewch y sym luosi gan ddefnyddio rhifau cyfan.
   (E.e. yn achos 1.2 × 3.45 byddech chi'n ysgrifennu 12 × 345).

2) Nawr cyfrwch gyfanswm nifer y digidau ar ôl y pwyntiau degol yn y rhifau gwreiddiol.
   (E.e. 1.2 a 3.45 — felly mae hynny'n 3 digid ar ôl y pwynt degol.)

3) Trefnwch fod yr un nifer o leoedd degol yn yr ateb.

Enghraifft: "Cyfrifwch 4.6 × 2.7"

1)	Rydym yn gwybod bod 46 × 27 = 1242 (o'r cwestiwn uchod)
2)	Mae 2 ddigid ar ôl y pwyntiau degol yn 4.6 × 2.7
3)	Felly yr ateb yw 12.42

Rhannu Heb Ddefnyddio Cyfrifiannell

Ac wrth gwrs bydd rhaid ichi wybod sut i rannu hefyd. Cofiwch, os na fyddwch yn dysgu'r dulliau sylfaenol hyn byddwch mewn trafferthion yn yr arholiad.

Rhannu Rhifau Cyfan

Enghraifft "Beth yw 896 ÷ 8?"

```
  1
8⌐896
```
Mae 8 yn mynd i mewn i 8 unwaith

```
 1 1
8⌐89¹6
```
Mae 8 yn mynd i mewn i 9 unwaith, cario'r gweddill 1.

```
 1 1 2
8⌐89¹6
```
Mae 8 yn mynd i mewn i 16 ddwywaith, felly 896 ÷ 8 = 112.

Rhannu â Degolion

Enghraifft "Beth yw 52.8 ÷ 3?"

Gosodwch y sym yn yr un ffordd â'r enghraifft uchod ond rhowch y pwynt degol yn yr ateb yn union uwchben y pwynt degol yn y cwestiwn ...

```
   1
3⌐5²2.8
```
Mae 3 yn mynd i mewn i 5 unwaith, cario'r gweddill 2.

```
  1 7.
3⌐5²2.¹8
```
Mae 3 yn mynd i mewn i 22 saith gwaith, cario'r gweddill 1.

```
  1 7.6
3⌐5²2.¹8
```
Mae 3 yn mynd i mewn i 18 chwe gwaith yn union. Felly 52.8 ÷ 3 = 17.6.

Enghraifft "Beth yw 83.6 ÷ 0.4?"

Y tric gyda symiau fel hyn yw cofio mai ffracsiynau ydynt: $\frac{83.6}{0.4}$

Mae'n bosibl i chi gael gwared o'r degolion drwy luosi'r top a'r gwaelod â 10 (ei droi'n ffracsiwn cywerth): $\frac{83.6}{0.4} = \frac{836}{4}$

Nawr, mae hon yn sym rannu gyffredin heb unrhyw ddegolion — ac felly rydych yn gwybod sut i'w datrys:

```
   2
4⌐836
```
Mae 4 yn mynd i mewn i 8 ddwywaith.

```
  2 0
4⌐83³6
```
Nid yw 4 yn mynd i mewn i 3 felly cariwch y 3.

```
  2 0 9
4⌐83³6
```
Mae 4 yn mynd i mewn i 36 naw gwaith felly 83.6 ÷ 0.4 = 209.

Y Prawf Hollbwysig:

Amser gweld faint rydych chi wedi ei ddysgu. Rhowch gynnig ar bob un o'r rhain heb ddefnyddio cyfrifiannell:

1) 28 × 12   2) 56 × 11   3) 104 × 8
4) 96 ÷ 8   5) 242 ÷ 2   6) 84 ÷ 7
7) 3.2 × 56   8) 0.6 × 10.2   9) 5.5 × 10.2
10) 33.6 ÷ 0.6   11) 69 ÷ 1.5   12) 43.2 ÷ 3.6

Dilyniannau Rhif Arbennig

1) EILRIFAU | mae 2 yn Rhannu i mewn i bob un

2 4 6 8 10 12 14 16 18 20 ...

Mae pob EILRIF yn DIWEDDU â 0, 2, 4, 6 neu 8   e.e. 200, 342, 576, 94

2) ODRIFAU | NID yw 2 yn rhannu i mewn iddynt

1 3 5 7 9 11 13 15 17 19 21 ...

Mae pob ODRIF yn DIWEDDU ag 1, 3, 5, 7 neu 9   e.e. 301, 95, 807, 43

3) RHIFAU SGWÂR

Maen nhw'n cael eu galw'n RHIFAU SGWÂR oherwydd eu bod yn rhoi arwynebeddau'r sgwariau yn y patrwm hwn:

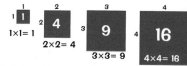

(1×1) (2×2) (3×3) (4×4) (5×5) (6×6) (7×7) (8×8) (9×9) (10×10) (11×11) (12×12) (13×13) (14×14) (15×15)

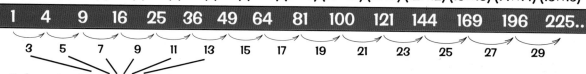

1 4 9 16 25 36 49 64 81 100 121 144 169 196 225...

3 5 7 9 11 13 15 17 19 21 23 25 27 29

Sylwer bod y GWAHANIAETHAU rhwng y rhifau sgwâr i gyd yn ODRIFAU.

4) RHIFAU CIWB

Maen nhw'n cael eu galw'n RHIFAU CIWB oherwydd eu bod yn rhoi'r cyfeintiau yn y patrwm hwn o giwbiau.

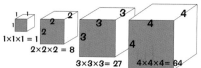

(1x1x1) (2x2x2) (3x3x3) (4x4x4) (5x5x5) (6x6x6)   (7x7x7)   (8x8x8)   (9x9x9) (10x10x10)...

1 8 27 64 125 216 343 512 729 1000...

5) PWERAU:

"Rhifau wedi eu lluosi â hwy eu hunain nifer o weithiau" yw pwerau.

"Dau i'r pŵer tri" = 2^3 = 2 × 2 × 2 = 8

Dyma BWERAU cyntaf 2:

2 4 8 16 32...

2^1=2 2^2=4 2^3=8 2^4=16 ayb...

... a PHWERAU cyntaf 10 (haws fyth):

10 100 1000 10 000 100 000...

10^1=10 10^2=100 10^3=1000 ayb...

6) RHIFAU TRIONGL:

I gofio'r rhifau triongl rhaid i chi ddarlunio'r patrwm cynyddol hwn o drionglau yn eich meddwl, lle mae pob rhes newydd yn cynnwys un smotyn yn fwy na'r rhes o'i blaen.

1 3 6 10 15 21 28 36 45 55 ....

2 3 4 5 6 7 8 9 10 11 12

Yn sicr mae'n werth dysgu'r patrwm syml hwn o wahaniaethau, yn ogystal â'r ffformiwla ar gyfer yr n^{fed} term (gweler Tud. 97) sef:

n^{fed} term = ½ n(n + 1)

Y Prawf Hollbwysig: DYSGWCH y 10 RHIF cyntaf ym mhob un o'r saith dilyniant uchod:

1) Cuddiwch y dudalen ac yna ysgrifennwch y 15 rhif cyntaf ym mhob un o'r saith dilyniant.
2) O'r rhestr hon o rifau: 23, 45, 56, 81, 25, 97, 134, 156, 125, 36, 1, 64
   ysgrifennwch: a) yr holl eilrifau   b) yr holl odrifau   c) yr holl rifau sgwâr
   ch) yr holl rifau ciwb   d) yr holl bwerau o 2 neu 10   dd) yr holl rifau triongl.

Rhifau Cysefin

1) Yn syml, ni ellir rhannu Rhifau CYSEFIN ag unrhyw rif.

A dyna'r ffordd orau o feddwl amdanynt.

Felly, Rhifau Cysefin yw'r holl rifau NAD YDYNT yn ymddangos yn y Tablau Lluosi:

| 2 | 3 | 5 | 7 | 11 | 13 | 17 | 19 | 23 | 29 | 31 | 37 | ... |

Fel y gwelwch, maen nhw'n rhifau trafferthus yr olwg. Er enghraifft:

Yr unig rifau sy'n lluosi i roi 7 yw 1×7
Yr unig rifau sy'n lluosi i roi 31 yw 1×31

Yn wir, yr unig ffordd i gael UNRHYW RIF CYSEFIN yw $1 \times$ Y RHIF EI HUN

2) Maen nhw i gyd yn diweddu ag 1, 3, 7 neu 9

1) NID yw 1 yn rhif cysefin

2) Y pedwar rhif cysefin cyntaf yw 2, 3, 5 a 7.

3) Mae rhifau cysefin yn diweddu ag 1, 3, 7 neu 9
(Y rhifau 2 a 5 yw'r unig eithriadau)

4) Ond NID YW POB rhif sy'n diweddu ag 1, 3, 7 neu 9 yn rhif cysefin, fel y gwelir yma:
(Dim ond y rhai sydd mewn cylchoedd sy'n rhifau cysefin)

(2) (3) (5) (7)
(11) (13) (17) (19)
21 (23) 27 (29)
(31) 33 (37) 39
(41) (43) (47) 49
51 (53) 57 (59)
(61) 63 (67) 69

3) SUT I DDARGANFOD RHIFAU CYSEFIN — dull syml iawn

1) Gan fod pob rhif cysefin (sy'n fwy na 5) yn diweddu ag 1, 3, 7 neu 9, yna i ddarganfod rhif cysefin rhwng, dyweder 70 ac 80, yr unig bosibiliadau yw: 71, 73, 77 a 79.

2) Nawr, er mwyn darganfod pa rai ohonynt YW'R rhifau cysefin rhannwch bob un â 3 a 7. Os nad yw'r rhif yn rhannu'n union â 3 nac â 7, yna mae'n rhif cysefin.
(Mae'r rheol syml hon sy'n defnyddio 3 a 7 yn ddilys ar gyfer darganfod rhifau cysefin hyd at 120)

Felly, i ddarganfod y rhifau cysefin rhwng 70 ac 80, ceisiwch rannu 71, 73, 77 a 79 â 3 ac â 7:

$71 \div 3 = 23.667$, $71 \div 7 = 10.143$ felly MAE 71 yn rhif cysefin
(gan ei fod yn diweddu ag 1, 3, 7 neu 9 ac nid yw'n rhannu'n union â 3 nac â 7)

$73 \div 3 = 24.333$, $73 \div 7 = 10.429$ felly MAE 73 yn rhif cysefin

$79 \div 3 = 26.333$ $79 \div 7 = 11.286$ felly MAE 79 yn rhif cysefin

$77 \div 3 = 25.667$ OND: $77 \div 7 = 11$ — Mae 11 yn rhif cyfan (neu 'gyfanrif'), felly NID YW 77 yn rhif cysefin, gan ei fod yn rhannu â 7 ($7 \times 11 = 77$)

Y Prawf Hollbwysig:
DYSGWCH y prif bwyntiau yn y 3 ADRAN uchod.

Nawr cuddiwch y dudalen ac ysgrifennwch bopeth rydych newydd ei ddysgu.
1) Ysgrifennwch y 15 rhif cysefin cyntaf (heb edrych yn y llyfr).
2) Gan ddefnyddio'r dull uchod, darganfyddwch yr holl rifau cysefin rhwng 90 a 110.

Lluosrifau, Ffactorau a Ffactorau Cysefin

Lluosrifau

Yn syml, LLUOSRIFAU rhif yw ei DABL LLUOSI:

E.e. lluosrifau 13 yw   13   26   39   52   65   78   91   104 ...

Ffactorau

FFACTORAU rhif yw'r holl rifau sy'n RHANNU'N UNION I MEWN IDDO. Mae ffordd arbennig o ddod o hyd iddynt:

Enghraifft 1: "Darganfyddwch HOLL ffactorau 24."

Dechreuwch gydag 1× y rhif ei hun, yna cynigiwch 2×, yna 3× ac yn y blaen, gan restru'r parau mewn rhesi fel hyn. Cynigiwch bob un yn ei dro a rhowch farc (–) os nad yw'n rhannu'n union. Yn y diwedd, pan gewch rif sy'n cael ei ailadrodd, stopiwch.

Cynnydd o 1 bob tro

$$1 \times 24$$
$$2 \times 12$$
$$3 \times 8$$
$$4 \times 6$$

$$5 \times -$$
$$6 \times 4$$

> Felly FFACTORAU 24 yw 1, 2, 3, 4, 6, 8, 12, 24

Mae'r dull hwn yn sicrhau eich bod yn eu darganfod I GYD – ond peidiwch ag anghofio 1 a 24!

Ffactorau   Enghraifft 2: "Darganfyddwch ffactorau 64".

Gwiriwch bob rhif yn ei dro, er mwyn gweld a yw'n rhannu'n union ai peidio. Defnyddiwch eich cyfrifiannell os nad ydych yn hollol sicr.

$$1 \times 64$$
$$2 \times 32$$
$$3 \times -$$
$$4 \times 16$$
$$5 \times -$$
$$6 \times -$$
$$7 \times -$$
$$8 \times 8$$

> Felly, FFACTORAU 64 yw 1, 2, 4, 8, 16, 32, 64

Mae 8 yn cael ei ailadrodd felly stopiwch yma.

Darganfod Ffactorau Cysefin – Y Goeden Ffactorau

Gellir hollti unrhyw rif yn gyfres o RIFAU CYSEFIN wedi eu lluosi â'i gilydd. Dyma beth yw "Mynegi rhif fel lluoswm ei ffactorau cysefin", ac i ddweud y gwir mae'n waith eithaf diflas — ond mae'n cael ei gynnwys yn yr Arholiad, ac nid yw'n rhy anodd cyn belled â'ch bod yn gwybod beth ydyw.

"Dull y Goeden Ffactorau", sy'n eithaf difyr, yw'r gorau, ac yma rydych yn dechrau ar y top ac yn hollti eich rhif yn ffactorau fel y dangosir. Bob tro y byddwch yn cael rhif cysefin rydych yn rhoi cylch o'i gwmpas ac yn y diwedd bydd gennych yr holl ffactorau cysefin, ac yna gallwch eu gosod mewn trefn.

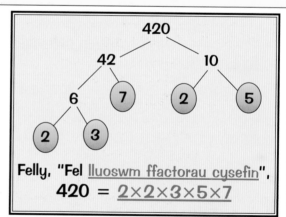

Felly, "Fel lluoswm ffactorau cysefin", $420 = 2 \times 2 \times 3 \times 5 \times 7$

Y Prawf Hollbwysig:

DYSGWCH beth yw Lluosrifau, Ffactorau a Ffactorau Cysefin, A SUT I'W DARGANFOD. Cuddiwch y dudalen ac ysgrifennwch hyn.

Yna ceisiwch wneud y canlynol heb gymorth y nodiadau:
1) Gwnewch restr o 10 lluosrif cyntaf 7, a 10 lluosrif cyntaf 9.
2) Gwnewch restr o holl ffactorau 36 a holl ffactorau 84.
3) Mynegwch y canlynol fel lluoswm ffactorau cysefin: a) 990 b) 160.

LlCLl ac FfCM

Dau enw mawreddog ond peidiwch â dychryn — mae'r ddau yn ddigon hawdd!

LlCLl – "Lluosrif Cyffredin Lleiaf"

"Lluosrif Cyffredin Lleiaf" — rhaid dweud bod hyn yn swnio'n gymhleth — ond y cwbl mae'n olygu yw:

Y rhif LLEIAF a fydd yn RHANADWY Â'R HOLL rifau dan sylw.

Dull	
	1) GWNEWCH RESTR O LUOSRIFAU'R HOLL rifau.
	2) Darganfyddwch y rhif LLEIAF sydd ym MHOB UN o'r rhestrau.
	3) Digon hawdd ynte!

Enghraifft   Darganfyddwch luosrif cyffredin lleiaf (LlCLl) 6 a 7

Ateb
Lluosrifau 6 yw: 6, 12, 18, 24, 30, 36, (42,) 48, 54, 60, 66, ...
Lluosrifau 7 yw: 7, 14, 21, 28, 35, (42,) 49, 56, 63, 70, 77, ...

Felly lluosrif cyffredin lleiaf (LlCLl) 6 a 7 yw 42.
Mi ddywedais ei fod yn hawdd.

FfCM – "Ffactor Cyffredin Mwyaf"

"Ffactor Cyffredin Mwyaf" — y cwbl mae'n olygu yw hyn:

Y rhif MWYAF a fydd yn RHANNU I BOB UN o'r rhifau dan sylw.

Dull	
	1) GWNEWCH RESTR o FFACTORAU yr holl rifau.
	2) Darganfyddwch yr un MWYAF sydd ym MHOB rhestr.
	3) Digon hawdd ynte!

Enghraifft   Darganfyddwch ffactor cyffredin mwyaf (FFCM) 36, 54 a 72

Ateb
Ffactorau 36 yw: 1, 2, 3, 4, 6, 9, 12, (18,) 36
Ffactorau 54 yw: 1, 2, 3, 6, 9, (18,) 27, 54
Ffactorau 72 yw: 1, 2, 3, 4, 6, 8, 9, 12, (18,) 24, 36, 72

Felly ffactor cyffredin mwyaf (FfCM) 36, 54 a 72 yw 18.
Digon hawdd!

Cofiwch fod yn ofalus wrth restru'r ffactorau — gofalwch eich bod yn defnyddio'r dull cywir (fel sy'n cael ei ddangos ar y dudalen flaenorol) neu byddwch yn anghofio un a dyna'i diwedd hi.

Y Prawf Hollbwysig: DYSGWCH ystyr LlCLl ac FfCM a SUT I'W DARGANFOD. Cuddiwch y dudalen ac ysgrifennwch bopeth.

1) Rhestrwch 10 lluosrif cyntaf 8, a 10 lluosrif cyntaf 9. Beth yw eu LlCLl?
2) Rhestrwch holl ffactorau 56 a holl ffactorau 104. Beth yw eu FfCM?
3) Beth yw Lluosrif Cyffredin Lleiaf 7 a 9?
4) Beth yw Ffactor Cyffredin Mwyaf 36 ac 84?

Botymau Cyfrifiannell

Yn y rhannau hynny o'r Arholiad lle caniateir ichi ddefnyddio cyfrifiannell, mae'n rhaid ichi wneud y defnydd gorau ohono. Byddai'n drychineb pe byddech yn colli marciau hawdd drwy bwyso'r botwm anghywir.

Y BOTWM FFRACSIYNAU

Dylech wybod sut i drin ffracsiynau heb ddefnyddio'ch cyfrifiannell.
Ond pan ganiateir ichi ei ddefnyddio, <u>yn sicr dylech</u> wneud hynny ...

1) ER MWYN BWYDO FFRACSIWN <u>NORMAL</u> fel ¼

Pwyswch:

2) ER MWYN BWYDO RHIF <u>CYMYSG</u> fel 1⅗

Pwyswch:

3) ER MWYN GWNEUD <u>CYFRIFIAD CYFFREDIN</u> megis ⅕ × ¾

Pwyswch:

4) ER MWYN <u>SYMLEIDDIO FFRACSIWN</u> I'W FFURF SYMLAF

Bwydwch y ffracsiwn ac yna pwyswch ⌷ ,

e.e. ⁹/₁₂,   3⌐4   = ³/₄

5) ER MWYN <u>TRAWSNEWID</u> RHWNG RHIFAU CYMYSG A FFRACSIYNAU PENDRWM

Pwyswch SHIFT aᵇ/c e.e. i roi 2 ³/₈ fel ffracsiwn pendrwm:

Pwyswch: sy'n rhoi'r ateb ¹⁹/₈.

Y BOTYMAU COF (STO *Storio,* RCL *Atgofio)*

Mae'r rhain yn ddefnyddiol tu hwnt i gadw rhif yr ydych chi newydd ei gyfrifo, fel y gallwch ei ddefnyddio eto'n fuan wedyn.

<u>ENGHRAIFFT</u>: Darganfyddwch $\frac{840}{15+5^3}$ — cyfrifwch y <u>llinell isaf</u> yn gyntaf <u>a'i storio yn y cof</u>.

Felly, pwyswch 15 + 5 X³ = ac yna STO M i storio canlyniad y llinell isaf yn y cof.
Yna rydych yn pwyso 840 ÷ RCL M = , a'r ateb yw 6.

Efallai y bydd y botymau cof yn gweithio ychydig yn wahanol ar eich cyfrifiannell chi. Sylwer, os oes gan eich cyfrifiannell fotwm "Ans", gallwch wneud yr un peth ag sy'n cael ei ddisgrifio uchod gan ddefnyddio'r botwm hwn. Mae'r botwm Ans yn rhoi'r canlyniad a gawsoch y <u>tro diwethaf</u> i chi bwyso'r botwm "=".

Botymau Cyfrifiannell

Corlat a'r Botymau Cromfachau

Y <u>BOTYMAU CROMFACHAU</u> yw `(` a `)` .

Un o'r problemau mwyaf y mae pobl yn ei gael wrth ddefnyddio cyfrifianellau yw peidio â deall bod y cyfrifiannell bob amser yn gweithio gan ddilyn <u>TREFN ARBENNIG</u>, a grynhoir gan y gair <u>CORLAT</u>, sydd yn cynrychioli:

<u>C</u>romfachau, <u>O</u> (flaen), <u>R</u>hannu, <u>Ll</u>uosi, <u>A</u>dio, <u>T</u>ynnu

Mae hyn yn hynod o bwysig pan fyddwch eisiau cyfrifo rhywbeth syml fel $\frac{23+45}{64\times3}$

Byddai'n wirion pwyso `23` `+` `45` `÷` `64` `×` `3` `=` — sydd yn <u>hollol anghywir</u>. Byddai'r cyfrifiannell yn meddwl eich bod yn golygu $23+\frac{45}{64}\times3$ oherwydd bydd yn gwneud y rhannu a'r lluosi <u>CYN</u> yr adio.

Y gyfrinach yw <u>ANWYBYDDU</u> trefn awtomatig <u>CORLAT</u> o wneud pethau trwy ddefnyddio'r <u>BOTYMAU CROMFACHAU</u>. Cromfachau yw'r flaenoriaeth gyntaf un yn CORLAT, sy'n golygu bod unrhyw beth sydd rhwng y cromfachau yn cael ei gyfrifo cyn i unrhyw beth arall ddigwydd.

> Felly, y cwbl sydd raid i chi ei wneud yw:
> 1) Ychwanegu <u>parau o gromfachau</u> i'r mynegiad: $\frac{(23+45)}{(64\times3)}$
> 2) Yna mewnbynnu popeth <u>fel mae wedi ei ysgrifennu</u>:
> `(` `23` `+` `45` `)` `÷` `(` `64` `×` `3` `)` `=`

Efallai eich bod yn meddwl ei bod yn anodd gwybod ym mhle i osod y cromfachau. Nid yw mor anodd â hynny: gosodwch nhw mewn parau o amgylch pob grŵp o rifau. Does dim o'i le mewn cael cromfachau o fewn rhai eraill chwaith, e.e. (4 + (5 ÷ 2)) Fel rheol, does dim o'i le ar gael gormod o gromfachau,

<u>CYN BELLED Â'U BOD BOB AMSER MEWN PARAU.</u>

Y Botwm Pwerau   `x^y` neu `∧`

(Mwy am bwerau ar dud. 90)

Defnyddir hwn ar gyfer darganfod pwerau rhifau yn gyflym. Er enghraifft, i ddarganfod 7^5, yn hytrach na phwyso $7 \times 7 \times 7 \times 7 \times 7$ pwyswch `7` `x^y` `5` `=` .

Y Prawf Hollbwysig: Dysgwch bopeth ar y ddwy dudalen hyn, yna ewch ati i ymarfer eu defnyddio ar <u>EICH CYFRIFIANNELL</u>.

Defnyddiwch eich cyfrifiannell i gyfrifo'r canlynol:
1) Trawsnewidiwch y rhain yn ffracsiynau pendrwm: a) 2¾   b) 16½   c) 8¼
2) Cyfrifwch y canlynol i 2 le degol gan ddefnyddio'r botymau cromfachau neu'r botymau cof:

   a) $\frac{15 + 5^6}{21^3 - 4^3}$ b) $\frac{74^2 - 10^3}{\sqrt{49} \times 2^4}$

Cymhareb yn y Cartref

Mae llawer o gwestiynau Arholiad sydd, ar yr olwg gyntaf, yn ymddangos yn hollol wahanol ond mewn gwirionedd gellir gwneud y cwbl drwy ddefnyddio'r RHEOL AUR...

RHANNU I GAEL UN, YNA LLUOSI I GAEL POPETH

Enghraifft 1:

"Mae 5 peint o Laeth yn costio £1.30. Beth fydd cost 3 pheint?"

Mae'r RHEOL AUR yn dweud:

RHANNU I GAEL UN, YNA LLUOSI I GAEL POPETH

sy'n golygu:

> Rhannwch y pris â 5 i ddarganfod pris UN PEINT, yna lluoswch â 3 i ddarganfod pris TRI PHEINT.

Felly.....   £1.30 ÷ 5 = 0.26 = <u>26c</u> (am 1 peint)

×3 = <u>78c</u> (am 3 pheint)

Enghraifft 2:

"Rhannwch £400 yn ôl y gymhareb 5:3"

Mae'r RHEOL AUR yn dweud:

RHANNU I GAEL UN, YNA LLUOSI I GAEL POPETH

Y tric yn y math hwn o gwestiwn yw adio'r rhifau yn y GYMHAREB i ddarganfod sawl RHAN sydd i gyd: 5 + 3 = <u>8 rhan</u>. Nawr defnyddiwch Y Rheol Aur.

> Rhannwch y £400 ag 8 i ddarganfod faint yw UN RHAN
>
> yna lluoswch â 5 ac â 3 i ddarganfod faint yw 5 RHAN
>
> a faint yw 3 RHAN.

Felly...   £400 ÷ 8 = £50   (i gael 1 rhan)

×5 = <u>£250</u> (i gael 5 rhan)   a ×3 = <u>£150</u>   (i gael 3 rhan)

Felly £400 wedi ei rannu yn ôl y gymhareb 5:3 yw   <u>£250 : £150</u>

Y Prawf Hollbwysig:

1) Os yw saith pensil yn costio 98c, beth fydd cost 4 pensil?
2) Rhannwch £2400 yn ôl y gymhareb 5:7.

Tarten Llygod a Llyffantod

Enghraifft 3: Y Rysáit

Mae'r rysáit canlynol ar gyfer "Tarten Llygod a Llyffantod Cwmni Saws Sosi", ac mae'n ddigon i fwydo 4 o bobl.

    4 Llygoden fawr newydd eu dal
    2 Lyffant Seimllyd Brown
    5 Owns o "Saws Sosi Lympiog"
    8 Taten newydd eu codi
    Darn anferth o grwst

"Newidiwch y mesurau hyn fel y bydd digon ar gyfer CHWECH o bobl".

ATEB: Yn ôl y RHEOL AUR:

RHANNU I GAEL UN, YNA LLUOSI I GAEL POPETH

    sy'n golygu:

RHANNU pob mesur i gael digon i un,
yna LLUOSI i gael digon ar gyfer CHWECH.

Gan fod y rysáit hwn ar gyfer 4 o bobl, RHANNWCH BOB MESUR Â 4 i ddarganfod y mesurau ar gyfer 1 person — yna LLUOSWCH HYNNY Â 6 i ddarganfod y mesurau ar gyfer 6 o bobl. Mae hyn yn ddigon syml:

4 Llygoden fawr ÷ 4 = 1 Llygoden fawr (ar gyfer un) × 6 = 6 Llygoden fawr
                                                     (Ar gyfer 6 o bobl)

2 Lyffant ÷ 4 = 0.5 Llyffant (ar gyfer un) × 6 = 3 Llyffant (Ar gyfer 6 o bobl)

5 Owns o "Saws Sosi Lympiog" ÷ 4 = 1.25 Owns (ar gyfer un) × 6 = 7.5 owns
                                                     (Ar gyfer 6 o bobl)

8 Taten ÷ 4 = 2 Daten (ar gyfer un) × 6 = 12 Taten (Ar gyfer 6 o bobl)

Darn anferth o grwst ÷ 4 yna × 6 = Darn anferth o grwst hanner gwaith yn fwy eto.

Yn wir, os sylwch, mae'r holl fesurau HANNER GWAITH YN FWY ETO.

Y Prawf Hollbwysig:

Cyfrifwch faint o bob un o'r cynhwysion fyddai ei angen i wneud digon o
Darten Llygod a Llyffantod ar gyfer 9 o bobl.

Y Fargen Orau

Un math o gwestiwn sy'n cael ei ofyn yn aml mewn Arholiadau yw cymharu "gwerth am arian" 2 neu 3 o eitemau tebyg. Dilynwch Y RHEOL AUR bob tro.

> Rhannwch â'r **PRIS**, mewn ceiniogau
> (i weld faint sydd i'w gael am geiniog)

Enghraifft

Mae'r siop leol "Tipyn o Bopeth" yn gwerthu tri maint o Jam Cwsberis Jamaica. Y cwestiwn yw: Pa un o'r rhain yw'r "FARGÊN ORAU"?

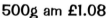

500g am £1.08   350g am 80c   100g am 42c

ATEB: Yn ôl Y RHEOL AUR:

RHANNWCH Â'R PRIS MEWN CEINIOGAU I GAEL Y MAINT AM GEINIOG

Felly cawn:

500g ÷ 108c	=	4.6g AM BOB CEINIOG
350g ÷ 80c	=	4.4g AM BOB CEINIOG
100g ÷ 42c	=	2.4g AM BOB CEINIOG

Felly gwelwn yn syth mai'r JAR 500g sy'n rhoi'r gwerth gorau am yr arian oherwydd ein bod yn cael MWY O JAM AM BOB CEINIOG. (Byddech yn disgwyl hyn am fod y jar yn un fawr).

Gydag unrhyw gwestiwn sy'n cymharu "gwerth am yr arian", RHANNWCH Â'R PRIS (mewn ceiniogau) a'r ATEB MWYAF bob tro sy'n rhoi'r FARGEN ORAU.

Y Prawf Hollbwysig:

Mae tri maint gwahanol o "Gawl Cynffon Malwen Fôr":

Tun 150g am 87c, tun 250g am £1.37 a Maint Teulu, 750g am £3.95.

Cyfrifwch pa un yw'r fargen orau.   (A chofiwch beidio â dyfalu'n unig!)

Ffracsiynau, Degolion a Chanrannau

Un gair a allai ddisgrifio'r tri hyn yw <u>CYFRANNEDD</u>. <u>Tair ffordd wahanol</u> o fynegi <u>cyfrannedd</u> o rywbeth yw ffracsiynau, degolion a chanrannau, ac mae'n eithaf pwysig eich bod yn gweld eu bod yn <u>perthyn yn agos i'w gilydd</u> a'u bod yn <u>gydgyfnewidiol</u>. Mae'r tabl hwn yn dangos y trawsnewidiadau mwyaf cyffredin y dylech eu gwybod yn syth, heb orfod eu cyfrifo:

Ffracsiwn	Degolyn	Canran
1/2	0.5	50%
1/4	0.25	25%
3/4	0.75	75%
1/3	0.333333... neu $0.\dot{3}$	33⅓%
2/3	0.666666.... neu $0.\dot{6}$	66⅔%
1/10	0.1	10%
2/10	0.2	20%
X/10	0.X	X0%
1/5	0.2	20%
2/5	0.4	40%

Mae gan 1/3 a 2/3 yr hyn a elwir yn ddegolion 'cylchol' — mae'r un patrwm o rifau yn dal i'w ailadrodd ei hun am byth. (Ond yma, rhifau 3 neu 6 yn unig sydd yn y patrwm. Er enghraifft, gallech gael: 0.143143143...)

Gorau po fwyaf o drawsnewidiadau fel hyn y byddwch yn eu dysgu — ond yn achos y rhai <u>nad ydych yn eu gwybod</u>, rhaid ichi <u>ddysgu hefyd</u> sut i <u>drawsnewid</u> rhwng y tri math. Dyma'r dulliau:

Ffracsiwn $\xrightarrow{\text{Rhannu (defnyddiwch eich cyfrifiannell os gallwch)}}$ Degolyn $\xrightarrow{\times \text{ â } 100}$ Canran

e.e. Mae ½ yn 1÷2   = 0.5   e.e. 0.5 × 100   = 50%

Ffracsiwn $\xleftarrow{\text{Yr un anodd}}$ Degolyn $\xleftarrow{\div \text{ â } 100}$ Canran

Dim ond pan fydd gennych <u>ddegolion union</u> heb eu talgrynnu y bydd yn bosibl <u>trawsnewid degolion yn ffracsiynau</u>. Y ffordd orau o ddangos hyn yw drwy roi enghreifftiau — gweler isod. Dylech fedru darganfod y rheol syml.

0.6 = 6/10	0.3 = 3/10	0.7 = 7/10	0.X = X/10, ayb.	Yna gellir <u>canslo</u>'r rhain.
0.12 = 12/100	0.78 = 78/100	0.45 = 45/100	0.05 = 5/100 , ayb.	
0.345 = 345/1000	0.908 = 908/1000	0.024 = 24/1000	0.XYZ = XYZ/1000 , ayb.	

Mewn gwirionedd <u>ffracsiynau union</u> yn unig yw degolion <u>cylchol</u> fel 0.3333333. Ond peidiwch â phoeni, nid oes raid ichi wybod sut i'w trawsnewid yn ôl yn ffracsiynau.

Y Prawf Hollbwysig: DYSGWCH y <u>tabl cyfan uchod</u> a'r 4 proses drawsnewid ar gyfer Ffracsiynau, Degolion a Chanrannau.

1) Trowch y degolion canlynol yn ffracsiynau a'u rhoi yn eu ffurf symlaf.
   a) 0.6   b) 0.02   c) 0.77   ch) 0.555   d) 5.6

Ffracsiynau

Mae'r ddwy dudalen hyn yn cynnwys yr holl hanfodion ar gyfer delio â ffracsiynau heb ddefnyddio eich cyfrifiannell. Mae angen ichi ofalu eich bod yn gallu gwneud popeth sy'n cael ei egluro yma.

Ffracsiynau Cywerth

Ffracsiynau cywerth yw ffracsiynau sy'n hafal o ran gwerth, er eu bod yn edrych yn wahanol. Gan ddechrau ag unrhyw ffracsiwn, gallwch wneud rhestr o ffracsiynau cywerth drwy LUOSI'r top a'r gwaelod â'r UN RHIF bob tro:

$$\frac{1}{2} \xrightarrow{\times 3} = \frac{3}{6} \qquad \frac{3}{4} \xrightarrow{\times 5} = \frac{15}{20} \qquad \frac{1}{5} \xrightarrow{\times 100} = \frac{100}{500}$$

Canslo

Ac i'r gwrthwyneb, weithiau bydd angen ichi symleiddio ffracsiwn drwy ei 'ganslo' — sy'n golygu RHANNU'r top a'r gwaelod â'r UN RHIF:

$$\frac{3}{15} \xrightarrow{\div 3} = \frac{1}{5} \qquad \frac{22}{33} \xrightarrow{\div 11} = \frac{2}{3}$$

Rhoi Ffracsiynau mewn Trefn

— Rhowch nhw dros yr un rhif

E.e. Rhowch y ffracsiynau hyn mewn trefn maint esgynnol: 8/3, 6/4, 12/5

① Yn gyntaf, er mwyn darganfod yr enwadur newydd, darganfyddwch LICLI (gweler tud. 9) yr enwaduron: LICLI y rhifau 3, 4 a 5 yw 60

② Yna newidiwch bob ffracsiwn fel y bo dros y rhif newydd:

$8/3 \xrightarrow{\times 20} = 160/60, \quad 6/4 \xrightarrow{\times 15} = 90/60, \quad 12/5 \xrightarrow{\times 12} = 144/60$

③ Nawr mae'n hawdd eu hysgrifennu mewn trefn: 90/60, 144/60, 160/60   neu   6/4, 12/5, 8/3

Y Prawf Hollbwysig: Dysgwch sut i GANSLO a RHOI FFRACSIYNAU MEWN TREFN — a pheidiwch â thwyllo drwy ddefnyddio cyfrifiannell!

1) Rhowch y ffracsiynau hyn yn eu ffurf symlaf: a) 30/36 b) 18/27 c) 45/66
2) Rhowch y ffracsiynau canlynol mewn trefn: 11/15, 3/5, 2/3

Ffracsiynau

1) *Lluosi — hawdd*

Lluoswch y top a'r gwaelod ar wahân:

$$3/5 \times 4/7 = 3{\times}4/5{\times}7 = 12/35$$

2) *Rhannu — eithaf hawdd*

Trowch yr ail ffracsiwn <u>Â'I BEN I LAWR</u>
ac yna <u>lluoswch</u>:

$$3/4 \div 1/3 = 3/4 \times 3/1 = 3{\times}3/4{\times}1 = 9/4$$

3) *Adio, tynnu — llawn peryglon*

Adiwch neu dynnwch yn y <u>LLINELLAU TOP YN UNIG</u>
ond <u>DIM OND OS</u> yw'r enwaduron (rhifau ar y
gwaelod) yr un fath.

(Os nad ydynt, mae'n rhaid i chi eu gwneud yr un
fath — gweler gwaelod y dudalen flaenorol.)

$$2/6 + 1/6 = 3/6$$

$$5/7 - 3/7 = 2/7$$

4) *Darganfod ffracsiwn o rif — lluoswch*

<u>Lluoswch</u> y rhif â
<u>THOP</u> y ffracsiwn,
yna <u>rhannwch</u> ef â'r
<u>GWAELOD</u>:

$$\frac{9}{20} \text{ o } £360 = \{(9) \times £360\} \div (20) = \frac{£3240}{20} = £162$$

$$\text{neu: } \frac{9}{20} \text{ o } £360 = \frac{9}{1} \times £360 \times \frac{1}{20} = £162$$

5) *Delio â Rhifau Cymysg*

Dim ond un ffordd bosibl sydd o ddelio â chyfrifiadau sy'n
cynnwys <u>rhifau cymysg</u> (sef pethau fel $3\frac{1}{3}$):

1) Newidiwch nhw yn <u>ffracsiynau 'normal'</u>
2) Yna gallwch eu cyfrifo yn y ffordd arferol.

<u>Peidiwch</u> â cheisio defnyddio <u>unrhyw ddull arall</u> neu
byddwch yn sicr o'u cael yn anghywir.

$$3\frac{2}{3} \times 7\frac{3}{4} = \overset{2+(3\times3)}{\frac{11}{3}} \times \overset{3+(7\times4)}{\frac{31}{4}}$$

$$= \frac{341}{12}$$

Y Prawf Hollbwysig:

Ceisiwch wneud pob un o'r canlynol heb ddefnyddio cyfrifiannell.

1) a) $3/8 \times 5/12$ b) $4/5 \div 7/8$ c) $3/4 + 2/5$ ch) $2/5 - 3/8$ d) $4\frac{1}{9} + 2\frac{2}{27}$

2) Darganfyddwch $2/5$ o 550.   b) Beth yw $7/8$ o £2?

Canrannau

Disgownt, TAW, Llog, Cynnydd, ayb

Mae'r RHAN FWYAF o gwestiynau ar ganrannau yn debyg i hyn:

> ## Cyfrifwch "rywbeth %" o "rywbeth arall"

E.e. Darganfyddwch 20% o £60

Dyma'r dull i'w ddefnyddio:

1) YSGRIFENNWCH:	Darganfyddwch	20%	o	£60
		$\downarrow$	$\downarrow$	$\downarrow$
2) NEWIDIWCH HYN YN FATHEMATEG:		$\dfrac{20}{100}$	$\times$	60
3) CYFRIFWCH:		20 $\div$ 100 $\times$ 60 =		£12

Dau Fanylyn Pwysig:

Cofiwch nhw!

1) Mae "Y cant" yn golygu "allan o 100"
   felly mae 20% yn golygu "20 allan o 100" = 20 ÷ 100 = $\dfrac{20}{100}$

   (Dyna sut ydych yn ei gyfrifo yn y dull a ddangosir uchod)

2) Mae "O" yn golygu "×"
   Mewn mathemateg, gellir rhoi "×" yn lle'r gair "o" bob amser i gyfrifo'r ateb

   (fel y dangosir yn y dull uchod)

Canrannau

Enghraifft Bwysig, Rhif 1

1) Pris radio yw £8.50 ond mae disgownt o 20% ar gael.
DARGANFYDDWCH BRIS GOSTYNGOL Y RADIO.

<u>Ateb</u>:

Yn gyntaf darganfyddwch 20% o £8.50 gan ddefnyddio'r dull ar
y dudalen flaenorol:

1) 20% o £8.50

2) $\frac{20}{100}$ × 8.5

3) 20 ÷ 100 × 8.5 = 1.7 = <u>£1.70</u>

Arian yw hwn, felly mae 1.7
ar y cyfrifiannell yn £1.70

Dyma'r <u>DISGOWNT</u> felly rydym yn <u>tynnu hwn</u> i gael yr ateb terfynol:
£8.50 - £1.70 = <u>£6.80</u>

Enghraifft Bwysig, Rhif 2

2) Mae bil plymer am atal dŵr rhag gollwng yn £98 + TAW.
Mae'r TAW yn 17.5%. CYFRIFWCH GYFANSWM Y BIL.

<u>Ateb</u>:

Yn gyntaf darganfyddwch 17.5% o £98 gan ddefnyddio'r dull safonol:

1) 17.5% o £989

2) $\frac{17.5}{100}$ × 98

3) 17.5 ÷ 100 × 98 = 17.15 = <u>£17.15</u>

£17.15 yw'r TAW a <u>bydd angen ei ADIO</u> at y
£98 i roi'r <u>BIL TERFYNOL</u>:
£98 + £17.15 = <u>£115.15</u>

Canrannau

Cymharu Rhifau gan ddefnyddio Canrannau

Dyma'r math arall cyffredin o gwestiwn ar ganrannau.

Mynegwch "un rhif" FEL CANRAN O "rif arall"

Er enghraifft, "Mynegwch £2 <u>fel canran</u> o £20." Dyma'r dull i'w ddefnyddio:

Y Dull Ff D C

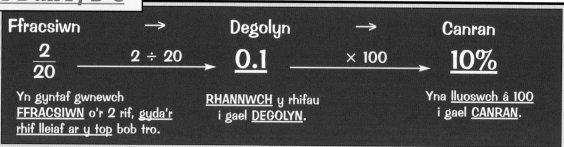

Ffracsiwn → Degolyn → Canran

$\frac{2}{20}$ $2 \div 20$ → **0.1** $\times 100$ → **10%**

Yn gyntaf gwnewch **FFRACSIWN** o'r 2 rif, <u>gyda'r rhif lleiaf ar y top</u> bob tro.

RHANNWCH y rhifau i gael **DEGOLYN**.

Yna <u>lluoswch â 100</u> i gael **CANRAN**.

Dwy Enghraifft Bwysig

1) "Mae perchennog siop yn prynu beiros am 8c yr un ac yn eu gwerthu am 10c yr un. Beth yw ei elw <u>FEL CANRAN</u>?"

   <u>Ateb</u>: Y ddau rif yr ydym eisiau eu <u>cymharu</u> yw'r <u>ELW</u> (sy'n 2c) a'r gost <u>WREIDDIOL</u> (sef 8c). Wedyn rydym yn defnyddio'r dull Ff D C:

   <u>Ffracsiwn</u> → <u>Degolyn</u> → <u>Canran</u>:

   $^2/_8$ →   **0.25**   →   <u>25%</u>

   felly mae perchennog y siop yn gwneud <u>elw o 25% ar y beiros</u>.

2) "Mewn sêl, mae pris raced tennis yn cael ei ostwng o £60 i £48. Beth yw'r <u>GOSTYNGIAD CANRANNOL</u>?"

   <u>Ateb</u>: Y ddau rif yr ydym eisiau eu <u>cymharu</u> yw'r <u>GOSTYNGIAD</u> (sy'n £12) a'r <u>GWERTH GWREIDDIOL</u> (sef £60). Wedyn rydym yn defnyddio'r dull Ff D C:

   <u>Ffracsiwn</u> → <u>Degolyn</u> → <u>Canran</u>:

   $^{12}/_{60}$ →   **0.2**   →   <u>20%</u>

Y Prawf Hollbwysig:

1) Mae banc yn codi llog o 12% y flwyddyn. Os yw £1000 yn cael ei fenthyg am flwyddyn, faint fydd y llog?
2) Mae gwerth tŷ yn cynyddu o £140,000 i £182,000. Beth yw'r cynnydd yng ngwerth y tŷ fel canran?

Prawf Adolygu Adran Un

YMA DISGWYLIR I CHI ddefnyddio holl ddulliau Adran Un i ateb y cwestiynau hyn.

1) Ysgrifennwch y rhif hwn mewn geiriau: 21,306,515

2) Rhowch y rhifau hyn yn ôl trefn eu maint:
   a) 23   6,534   123   2,200   2   132   789   45
   b) -2,   4,   0,   -7,   -6,   10,   8,   5

3) Heb ddefnyddio cyfrifiannell, cyfrifwch y canlynol:
   a) 52.3 × 100   b) 720 × 1000   c) 812 ÷ 1000
   ch) 20 × 40   d) 6000 ÷ 30

4) Beth yw rhifau ciwb? Ysgrifennwch y deg cyntaf.

5) Darganfyddwch yr holl rifau cysefin rhwng 40 a 60 (mae 5 i gyd).

6) Beth yw Lluosrifau? Darganfyddwch chwe lluosrif cyntaf 10 a chwe lluosrif cyntaf 4.

7) Beth yw Ffactorau? Darganfyddwch holl ffactorau 30.

8) Mynegwch y canlynol fel lluoswm eu ffactorau cysefin: a) 210   b) 1050

9) Darganfyddwch ffactor cyffredin mwyaf 42 a 28.

10) Darganfyddwch luosrif cyffredin lleiaf 8 a 10.

11) Defnyddiwch y botwm a^b_c i roi 12/15 yn ei ffurf symlaf.

12) Beth yw'r Rheol Aur ar gyfer Cymhareb yn y Cartref?

13) Os yw 7 peint o laeth yn costio £2.03, faint fydd 5 peint yn gostio?

14) Os yw 9 pecyn o fwyd Pysgod Aur yn pwyso 2250g, faint fydd 4 pecyn yn bwyso?

15) Beth yw'r Rheol Aur wrth ddarganfod 'Y Fargen Orau'?
    Mae dau dun gwahanol faint o SPAM SBESHIAL ar werth mewn siop: Pa un yw'r Fargen Orau?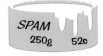

16) Trawsnewidiwch 0.645 yn ffracsiwn.

17) Cyfrifwch y canlynol: a) 4/7 o 560   b) 2/5 o £150   c) 65% o 300

18) Cyfrifwch heb ddefnyddio cyfrifiannell:

   a) $\frac{4}{6} \times 2\frac{12}{5}$ b) $\frac{25}{6} \div \frac{8}{3}$ c) $\frac{5}{8} + \frac{9}{4}$ ch) $\frac{2}{3} - \frac{1}{7}$

19) Mewn siop mae pris eitem yn cael ei ostwng o £80 i £64.
    Faint o ostyngiad y cant yw hyn?

Cymesuredd

Ceir <u>cymesuredd</u> os yw'n bosibl gosod siâp neu lun mewn <u>gwahanol safleoedd</u> sy'n <u>edrych yn union yr un fath</u>. Mae <u>TRI math</u> o gymesuredd:

1) Cymesuredd *Llinell*

Yma gallwch lunio <u>LLINELL DDRYCH</u> (neu fwy nag un) ar draws llun a bydd y <u>ddwy ochr yn plygu'n union ar ei gilydd</u>.

| 2 LINELL CYMESUREDD | 1 LLINELL CYMESUREDD | 1 LLINELL CYMESUREDD | 3 LLINELL CYMESUREDD | DIM LLINELL CYMESUREDD | 1 LLINELL CYMESUREDD |

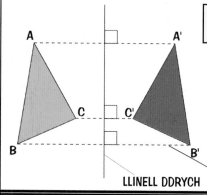

LLINELL DDRYCH

Sut i lunio *adlewyrchiad*:

1) Adlewyrchwch bob pwynt fesul un

2) Defnyddiwch linell sy'n croesi'r llinell ddrych ar 90° ac sy'n mynd <u>YN UNION</u> yr un pellter ar bob ochr i'r llinell ddrych, fel y dangosir.

Enw'r llinell sy'n croesi ar 90° yw'r <u>perpendicwlar</u>.

2) Cymesuredd *Plân*

Mae <u>Cymesuredd Plân</u> yn ymwneud â <u>SOLIDAU 3D</u>.

Yn union fel y gall <u>siapiau fflat</u> gael <u>llinell ddrych</u>, gall <u>gwrthrychau 3D</u> gael <u>plân cymesuredd</u>.

Gellir llunio arwyneb drych plân trwyddo, <u>ond rhaid i'r siâp fod yn union yr un fath ar ddwy ochr y plân</u> (h.y. drychddelweddau), fel y rhain:

Planau Cymesuredd

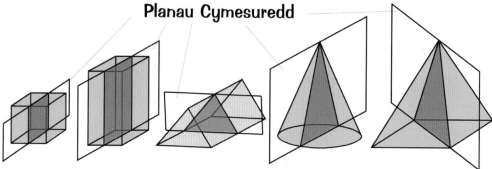

Mae gan y siapiau hyn i gyd <u>LAWER MWY O BLANAU CYMESUREDD</u> ond dim ond un plân cymesuredd sydd wedi ei ddangos yma ar gyfer pob siâp, oherwydd fel arall byddai gormod o linellau a byddai'r diagramau'n edrych yn flêr ac yn aneglur.

Cymesuredd

3) *Cymesuredd Cylchdro*

Yma gallwch <u>GYLCHDROI'R</u> siâp neu'r darlun i wahanol safleoedd a bydd <u>pob un yn edrych yn union yr un fath</u>.

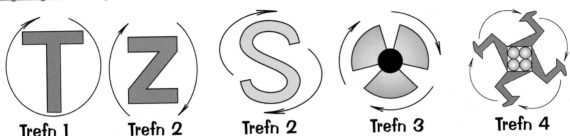

| Trefn 1 | Trefn 2 | Trefn 2 | Trefn 3 | Trefn 4 |

Mae <u>TREFN Y CYMESUREDD CYLCHDRO</u> yn ffordd o ddweud:

"<u>NIFER Y SAFLEOEDD GWAHANOL LLE MAE'R SIÂP YN EDRYCH YR UN FATH</u>".

E.e. Dylech ddweud am y siâp **Z** uchod "<u>Mae ganddo gymesuredd Cylchdro trefn 2</u>".

OND ... pan fo gan siâp <u>1 SAFLE YN UNIG</u> gallwch ddweud <u>un ai</u> bod ganddo "<u>Gymesuredd Cylchdro trefn 1</u>" neu "<u>NID oes ganddo Gymesuredd Cylchdro</u>"

Papur Dargopïo

— mae hwn bob amser yn gwneud cymesuredd yn llawer haws.

1) Ar gyfer <u>ADLEWYRCHU</u>, dargopïwch un ochr o'r lluniad a'r llinell ddrych hefyd. Yna <u>trowch y papur drosodd a rhoi'r llinell ddrych</u> yn ei safle gwreiddiol.

2) Ar gyfer <u>CYLCHDROI</u>, trowch y papur o gwmpas. Mae hyn yn dda iawn ar gyfer <u>darganfod canol cylchdro</u> (drwy gynnig a gwella) yn ogystal â <u>threfn cymesuredd cylchdro</u>.

3) Gallwch ddefnyddio papur dargopïo yn yr <u>ARHOLIAD</u> — gofynnwch amdano, neu ewch â'ch papur eich hunan.

Brithweithiau

— "Patrymau teils heb fylchau"

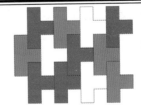

Mae'n sicr eich bod wedi gwneud llawer o'r rhain, ond cofiwch beth mae'r enw "<u>brithwaith</u>" yn ei olygu – "<u>patrwm teils heb fylchau</u>":

Y Prawf Hollbwysig:

Copïwch y llythrennau hyn a marciwch yr holl <u>linellau cymesuredd</u>.
Dywedwch hefyd beth yw trefn <u>cymesuredd cylchdro</u> pob un ohonynt.

H   Z   T   N   E   ✖   S

Y Siapiau y Dylech eu Gwybod

Mae'r rhain yn ffordd hawdd o gael marciau yn yr Arholiad — gofalwch eich bod yn eu gwybod i gyd.

(rhag ofn nad oeddech yn gwybod ...)

Siapiau tair ochr – Trionglau

1) Triongl HAFALOCHROG

3 llinell cymesuredd
Cymesuredd cylchdro trefn 3

2) Triongl ONGL SGWÂR

Dim cymesuredd oni bai fod yr onglau'n 45°

3) Triongl ISOSGELES

2 ochr hafal
2 ongl hafal

1 llinell cymesuredd
Dim cymesuredd cylchdro

Siapiau pedair ochr – Pedrochrau

1) SGWÂR

4 llinell cymesuredd
Cymesuredd cylchdro trefn 4

2) PETRYAL

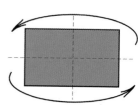

2 linell cymesuredd
Cymesuredd cylchdro trefn 2

3) RHOMBWS (Sgwâr wedi ei wthio i'r ochr)
(Mae hefyd yn ddiemwnt)

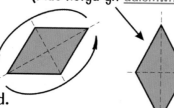

2 linell cymesuredd.
Cymesuredd cylchdro trefn 2

4) PARALELOGRAM
(Petryal wedi ei wthio i'r ochr – 2 bâr o ochrau paralel)

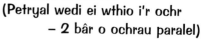

DIM llinell cymesuredd.
Cymesuredd cylchdro trefn 2

5) TRAPESIWM (Un pâr o ochrau paralel)

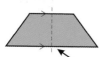
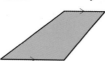

Dim ond y trapesiwm isosgeles sydd â llinell cymesuredd.
Does dim cymesuredd cylchdro gan unrhyw un ohonynt.

6) BARCUD

1 llinell cymesuredd.
Dim cymesuredd cylchdro.

Y Prawf Hollbwysig: DYSGWCH bopeth ar y dudalen hon.

Yna cuddiwch y dudalen ac ysgrifennu'r holl fanylion y gallwch eu cofio.
Yna rhowch gynnig arall arni.

Siapiau 3D a Thafluniadau

Wyth Solid i'w Dysgu

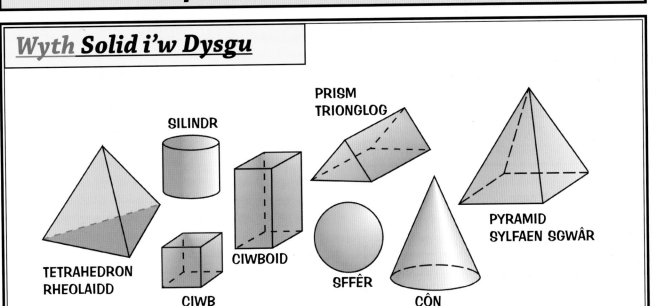

SILINDR

PRISM TRIONGLOG

PYRAMID SYLFAEN SGWÂR

TETRAHEDRON RHEOLAIDD

CIWBOID

CIWB

SFFÊR

CÔN

Mae tafluniadau yn dangos Gwahanol Olygon o Siâp

Mae 'tafluniad' yn dangos maint a siâp cymharol gwrthrych un ai o'r blaen, o'r ochr neu o'r cefn — yr enw cyffredin arnynt yw 'golygon'.
Mae 'uwcholwg' yn dangos y gwrthrych o bwynt uwch ei ben. Mae'r rhain bob amser yn cael eu llunio wrth raddfa.

Edrychwch ar yr eglwys hon (wn i, llun gwael) – gallwch ei dangos fel hyn:

BLAENOLWG
— yr olygfa fyddech chi'n ei gweld wrth edrych ar yr eglwys yn union o'r tu blaen:

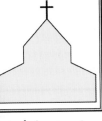

OCHR-OLWG
— yr olygfa fyddech chi'n ei gweld wrth edrych ar yr eglwys yn union o'r ochr:

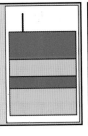

UWCHOLWG
— yr olygfa fyddech chi'n ei gweld wrth edrych ar yr eglwys o bwynt yn union uwch ei phen:

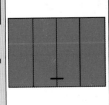

Os byddant yn teimlo'n gas iawn (ac mae hynny'n digwydd yn aml), gallant ofyn cwestiwn ar

Mae'r gwaith hwn ychydig yn fwy cymhleth, felly byddai'n syniad da treulio ychydig mwy o amser yn ymarfer — er mwyn ei ddeall yn iawn.

Dafluniad ISOMETRIG
— yma mae'r siâp yn cael ei lunio (unwaith eto, wrth raddfa) o bwynt sy'n ffurfio onglau hafal â'r tair echelin (x, y a z). Neu yn fwy syml, mae'n lluniad fel hwn:

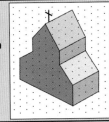

Y Prawf Hollbwysig:
Dysgwch yr WYTH SIÂP 3D a'r PEDWAR TAFLUNIAD.

1) Cuddiwch y dudalen, yna enwch 8 math o wrthrychau solet.
2) Lluniwch uwcholwg, blaenolwg, ochrolwg a thafluniad isometrig eich tŷ chi.

Polygonau Rheolaidd

<u>Siâp amlochrog</u> yw <u>polygon</u>. Mewn polygon <u>rheolaidd</u> mae'r holl <u>ochrau</u> a'r <u>onglau</u> yr un faint. Mae'r polygonau rheolaidd yn gyfres ddiddiwedd o siapiau ac mae gan rai ohonynt nodweddion ffansi.

	TRIONGL HAFALOCHROG <u>3 ochr</u> <u>3 llinell</u> cymesuredd Cymesuredd cylchdro <u>trefn 3</u>
	SGWÂR <u>4 ochr</u> <u>4 llinell</u> cymesuredd Cymesuredd cylchdro <u>trefn 4</u>
	PENTAGON RHEOLAIDD <u>5 ochr</u> <u>5 llinell</u> cymesuredd Cymesuredd cylchdro <u>trefn 5</u>
	HECSAGON RHEOLAIDD <u>6 ochr</u> <u>6 llinell</u> cymesuredd Cymesuredd cylchdro <u>trefn 6</u>
	HEPTAGON RHEOLAIDD <u>7 ochr</u> <u>7 llinell</u> cymesuredd Cymesuredd cylchdro <u>trefn 7</u> (Mae darn arian 50c yn debyg i heptagon)
	OCTAGON RHEOLAIDD <u>8 ochr</u> <u>8 llinell</u> cymesuredd Cymesuredd cylchdro <u>trefn 8</u>

Onglau Mewnol ac Allanol

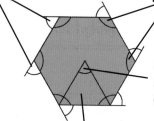

1) Onglau Allanol

2) Onglau Mewnol

3) Mae'r ongl hon bob amser yr un faint â'r Onglau Allanol.

4) Mae pob triongl sector yn <u>ISOSGELES</u>

Mae 4 fformiwla i'w dysgu:

$$\text{ONGL ALLANOL} = \frac{360°}{n}$$

$$\text{ONGL FEWNOL} = 180° - \text{ONGL ALLANOL}$$

$$\text{CYFANSWM ONGLAU ALLANOL} = 360°$$

$$\text{CYFANSWM ONGLAU MEWNOL} = (n - 2) \times 180°$$

(n yw nifer yr ochrau)

Sylwer – mae'r ddwy fformiwla CYFANSWM uchod yn gweithio ar gyfer <u>unrhyw</u> bolygon, ac nid rhai rheolaidd yn unig.

Mae angen ichi wybod y <u>ddau nesaf</u> hefyd, ond nid ydym yn dangos eu lluniau yma. <u>Dysgwch eu henwau</u>:	<u>NONAGON</u> <u>RHEOLAIDD</u> <u>9 ochr</u>, ayb, ayb	<u>DECAGON</u> <u>RHEOLAIDD</u> <u>10 ochr</u>, ayb, ayb

MAE POLYGONAU RHEOLAIDD YN CYNNWYS LLAWER IAWN O GYMESUREDD

1) <u>Dim ond tair ongl wahanol</u> sydd yn y diagram hwn o bentagon.
2) Mae hyn yn <u>nodweddiadol o bolygonau rheolaidd</u>.
   Gellir gweld niferoedd rhyfeddol o gymesureddau ynddynt.
3) Yn achos polygon rheolaidd, os yw dwy ongl yn <u>edrych</u> yr un fath, <u>byddan nhw'r un fath</u>.
   Nid yw hon yn rheol y dylech ei chymhwyso fel arfer mewn geometreg, a beth bynnag bydd angen ichi brofi eu bod yn hafal.

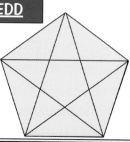

Y Prawf Hollbwysig: DYSGWCH Y DUDALEN HON. Yna cuddiwch hi ac atebwch y cwestiynau hawdd canlynol:

1) Beth yw Polygon Rheolaidd?   2) Enwch y 6 pholygon rheolaidd cyntaf.
3) Tynnwch lun pentagon a hecsagon a dangoswch yr holl linellau cymesuredd.
4) Cyfrifwch y ddwy ongl allweddol mewn pentagon rheolaidd. 5) A hefyd mewn polygon rheolaidd 12 ochr.

Perimedrau

Perimedr yw'r pellter <u>yr holl ffordd o amgylch siâp 2D</u>.

Perimedrau Siapiau cymhleth

Er mwyn darganfod <u>PERIMEDR</u>, rydych yn <u>ADIO HYDOEDD YR HOLL OCHRAU</u>, ond ... <u>YR UNIG FFORDD DDIBYNADWY</u> o sicrhau eich bod yn cynnwys <u>yr holl ochrau</u> yw hon:

1) <u>RHOWCH SMOTYN MAWR AR UN GORNEL</u> ac yna ewch o amgylch y siâp
2) <u>YSGRIFENNWCH HYD POB OCHR</u> wrth i chi fynd ymlaen.
3) <u>Hyd yn oed os oes ochrau na roddir eu hydoedd — mae'n rhaid i chi eu cyfrifo.</u>
4) Daliwch ati nes dod yn ôl at y <u>SMOTYN MAWR.</u>

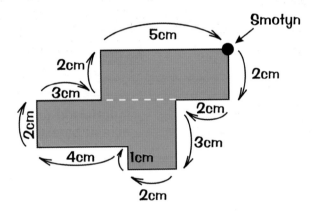

E.e. 2+2+3+2+1+4+2+3+2+5 = <u>26cm</u>

Efallai eich bod yn meddwl bod hwn yn <u>ddull trafferthus arall</u>, ond credwch fi, mae'n ddigon hawdd anghofio ochr. Rhaid defnyddio dulliau da, dibynadwy i wneud popeth — neu byddwch chi'n colli llawer o farciau.

Y Prawf Hollbwysig:

<u>DYSGWCH Y RHEOLAU</u> ar gyfer darganfod <u>perimedr</u> <u>siapiau cymhleth</u>.

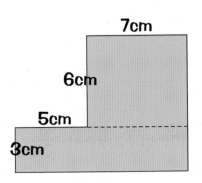

1) <u>Cuddiwch y dudalen ac ysgrifennwch</u> bopeth rydych chi wedi ei ddysgu.
2) Darganfyddwch berimedr y siâp a ddangosir yma.

Arwynebedd

Isod ceir pedair fformiwla sylfaenol ar gyfer arwynebedd. Mae'n rhaid ichi ddysgu'r rhain oni bai eich bod yn bwriadu colli <u>llond gwlad</u> o farciau hawdd yn yr arholiad.

MAE'N RHAID ICHI DDYSGU'R FFORMIWLÂU HYN:

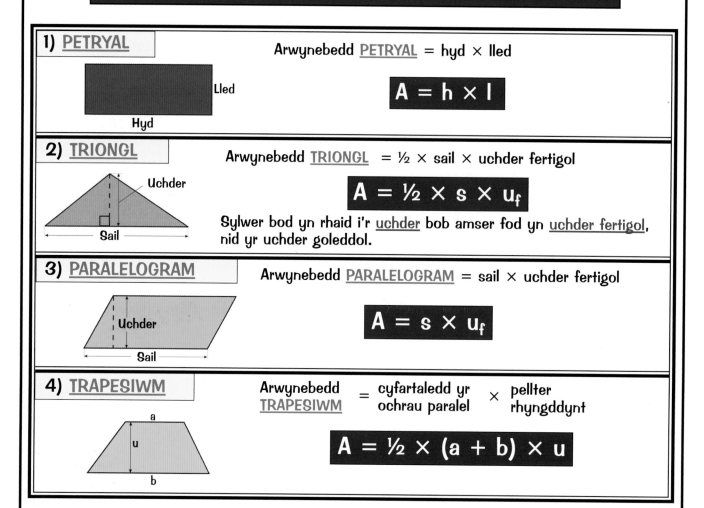

1) <u>PETRYAL</u>

Arwynebedd <u>PETRYAL</u> = hyd × lled

Lled
Hyd

$$A = h \times l$$

2) <u>TRIONGL</u>

Arwynebedd <u>TRIONGL</u> = ½ × sail × uchder fertigol

Uchder
Sail

$$A = \tfrac{1}{2} \times s \times u_f$$

Sylwer bod yn rhaid i'r <u>uchder</u> bob amser fod yn <u>uchder fertigol</u>, nid yr uchder goleddol.

3) <u>PARALELOGRAM</u>

Arwynebedd <u>PARALELOGRAM</u> = sail × uchder fertigol

Uchder
Sail

$$A = s \times u_f$$

4) <u>TRAPESIWM</u>

Arwynebedd <u>TRAPESIWM</u> = cyfartaledd yr ochrau paralel × pellter rhyngddynt

a
u
b

$$A = \tfrac{1}{2} \times (a + b) \times u$$

<u>*Arwynebedd*</u> *siapiau mwy cymhleth*

Yn aml bydd angen ichi ddarganfod arwynebedd siapiau <u>rhyfedd yr olwg</u> mewn cwestiynau arholiad. Yr hyn fyddwch chi'n ei ddarganfod bob tro yn y cwestiynau hyn yw ei bod yn bosibl torri'r siâp yn <u>siapiau symlach</u> y gallwch ddelio â nhw.

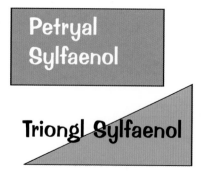

Petryal Sylfaenol

Triongl Sylfaenol

1) <u>RHANNWCH NHW</u> yn ddau siâp sylfaenol: <u>PETRYAL</u> a <u>THRIONGL</u>

2) Cyfrifwch arwynebedd pob rhan <u>AR WAHÂN</u>

3) Yna <u>ADIWCH BOB ARWYNEBEDD</u>

Gweler enghraifft syml ar y dudalen nesaf ...

Arwynbedd

ENGHRAIFFT: Cyfrifwch arwynebedd y siâp hwn:

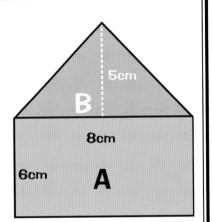

ATEB:

Petryal yw siâp **A:**
Arwynebedd = H × L
$$= 8 × 6$$
$$= \underline{48cm^2}$$

Triongl yw siâp **B**
Arwynebedd = ½×s×u
$$= ½×8×5$$
$$= \underline{20cm^2}$$

CYFANSWM YR ARWYNEBEDD = 48 + 20 = 68cm²

Peidiwch __â defnyddio eich cyfrifiannell yn syth__

Efallai eich bod yn eich twyllo eich hunan ei bod yn "cymryd gormod o amser" i ysgrifennu eich gwaith cyfrifo — ond pam COLLI MARCIAU mewn cwestiwn hawdd?

Cymharwch y ddau ateb hyn ar gyfer darganfod arwynebedd y triongl gyferbyn:

ATEB 1: 20 ✗

Nid yw ATEB 1 yn cael MARC O GWBL — mae 20 yn ateb anghywir ac nid oes unrhyw beth arall y gellir rhoi marciau amdano.

ATEB 2: A = ½ × S × U ✓
        = ½ × 5 × 4 ✓
        = 10 cm² ✓

Yn ATEB 2 mae 3 cham, a phob cam yn ennill marciau — felly, hyd yn oed pe byddai'r ateb yn anghywir, byddech yn cael y rhan fwyaf o'r marciau!

Wrth ysgrifennu eich ateb gam wrth gam, gallwch weld beth rydych yn ei wneud a chewch chi mo'r ateb yn anghywir yn y lle cyntaf — ceisiwch wneud hynny'r tro nesaf ... bydd yn brofiad da!

Y Prawf Hollbwysig: DYSGWCH Y FFORMIWLÂU ARWYNEBEDD AR EICH COF A'R RHEOLAU I DDELIO Â SIAPIAU CYMHLETH.

Yna ewch ati i ddarganfod arwynebeddau'r 4 siâp canlynol...

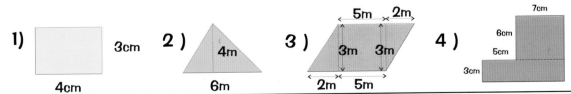

Cylchoedd

Mae'n syndod faint o dermau sydd raid ichi eu gwybod wrth drafod cylchoedd.
Peidiwch â'u cymysgu ...

1) Radiws a Diamedr

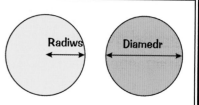

Mae'r DIAMEDR yn mynd <u>yr holl ffordd ar draws</u> y cylch

Mae'r RADIWS yn mynd <u>hanner ffordd</u> yn unig ar draws y cylch

> Cofiwch: mae'r <u>DIAMEDR UNION DDWYWAITH Y RADIWS</u>

<u>Enghreifftiau</u>: Os yw'r radiws yn 4cm, mae'r diamedr yn 8cm,
Os yw'r diamedr yn 24m, mae'r radiws yn 12m.

2) Arwynebedd, Cylchedd a π

Y CYLCHEDD yw'r pellter o amgylch y tu allan i'r cylch.
Dylech wybod y fformiwlâu ar gyfer arwynebedd a chylchedd...

<u>ARWYNEBEDD</u> <u>CYLCH</u> = π × (radiws)²

$$A = \pi \times r^2$$

e.e. os yw'r radiws yn
4cm, yna mae
A = 3.14x(4x4)
= <u>50.24cm²</u>

> π = 3.141592....
> = <u>3.14</u> (yn fras)

<u>CYLCHEDD</u> = π × Diamedr

$$C = \pi \times D$$

Y peth pwysig i'w gofio yw mai <u>rhif cyffredin</u>
yn unig (= 3.141592...) yw π (sef "pi") sydd
fel arfer yn cael ei dalgrynnu i 3.14.

3) Tangiadau, Cordau, Arcau a'r gweddill...

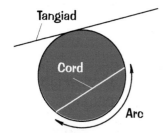

> **TANGIAD** yw llinell syth sy'n <u>cyffwrdd</u> <u>ochr allanol</u>
> y cylch.
> **CORD** yw llinell sy'n cael ei llunio <u>ar draws y tu</u>
> <u>mewn</u> i gylch.
> **ARC** yw <u>rhan o gylchyn</u> y cylch

> **SECTOR** yw siâp tebyg i ddarn o deisen
> sydd wedi ei dorri yn union o'r canol.
> **SEGMENTAU** yw'r rhanbarthau a gewch
> pan fyddwch yn torri cylch â chord.

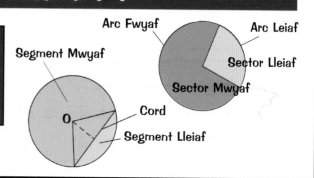

Y Prawf Hollbwysig:

Unwaith eto, dysgwch bopeth, cuddiwch y dudalen ac ysgrifennwch bopeth.

Cwestiynau ar Gylchoedd

Y Penderfyniad Mawr:

"Pa fformiwla cylch ddylwn i ei defnyddio?"

1) Os yw'r cwestiwn yn gofyn am "arwynebedd cylch",
   RHAID i chi ddefnyddio'r FFORMIWLA AR GYFER
   ARWYNEBEDD:

$$A = \pi \times r^2$$

2) Os yw'r cwestiwn yn gofyn am "gylchedd" (y pellter
   o amgylch y cylch) RHAID i chi ddefnyddio'r
   FFORMIWLA AR GYFER CYLCHEDD:

$$C = \pi \times D$$

A chofiwch, nid yw'n gwneud unrhyw wahaniaeth o gwbl pa un ai'r radiws neu'r diamedr
sy'n cael ei roi i chi yn y cwestiwn, mae'n HAWDD IAWN cyfrifo'r llall — mae'r diamedr
bob amser yn DDWBL y radiws.

Enghraifft 1:

"Darganfyddwch gylchedd ac arwynebedd y cylch a ddangosir isod."

ATEB:

Radiws = 5 cm, felly Diamedr = 10 cm (hawdd!)

Y fformiwla ar gyfer cylchedd yw:

$C = \pi \times D$, felly

$C = 3.14 \times 10$

   $= 31.4$ cm

5cm

Y fformiwla ar gyfer arwynebedd yw:

$C = \pi \times r^2$

$C = 3.14 \times (5 \times 5)$

   $= 3.14 \times 25 = 78.5$ cm²

Enghraifft 2: | Yr hen gwestiwn cyfarwydd am "Olwyn Trol":

Mae hwn yn gwestiwn cyffredin iawn mewn arholiad.
"Sawl gwaith fydd olwyn â diamedr 1.2 m yn troi wrth
deithio 12 m?"

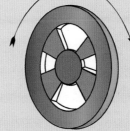

ATEB:

Mae pob troad llawn yn symud yr olwyn un cylchedd llawn
ar hyd y llawr, felly

1) darganfyddwch y cylchedd gan ddefnyddio "$C = \pi \times D$": $C = 3.14 \times 1.2 = \underline{3.768m}$

2) yna darganfyddwch sawl gwaith mae'n ffitio i'r pellter a deithiwyd, drwy rannu:

   h.y. 12 m ÷ 3.768 m = 3.18   felly'r ateb yw 3.2 troad yr olwyn.

Y Prawf Hollbwysig:

1) Mae gan blât ddiamedr o 14 cm. Darganfyddwch arwynebedd a chylchedd y plât drwy
   ddefnyddio'r dulliau yr ydych newydd eu dysgu. Cofiwch ddangos eich holl waith cyfrifo.

2) Sawl troad fydd cylch chwarae, diamedr 2 m, yn ei wneud os yw'n rholio 240 m?

Cyfaint

1) Ciwboid (bloc petryalog)

(Enw arall ar hwn yw *'prism petryalog'* – gweler isod i ddeall pam)

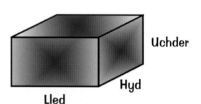

Cyfaint Ciwboid = hyd × lled × uchder

$$C = h \times l \times u$$

(Y gair arall am gyfaint yw CYNHWYSEDD)

2) Prism

Gwrthrych solet tri dimensiwn yw PRISM a chanddo ARWYNEBEDD TRAWSTORIAD CYSON – h.y. mae'r siâp yr un fath ar ei hyd.

Am ryw reswm, nid oes llawer o bobl yn gwybod beth yw prism, ond ceir cwestiwn ar brismau yn aml iawn mewn Arholiadau, felly gofalwch eich bod CHI yn gwybod beth ydynt.

Prism Trionglog

Arwynebedd Trawstoriad Cyson

Hyd

Prism Hecsagonol

(mae hwn yn eithaf fflat, ond mae'n dal i fod yn brism).

Hyd

Arwynebedd Trawstoriad Cyson

Prism Cylchol
(neu Silindr)

Arwynebedd Trawstoriad Cyson

Hyd

$$\text{Cyfaint prism} = \text{Arwynebedd trawstoriad} \times \text{hyd}$$

$$C = A \times H$$

Fel y gwelwch, mae'r fformiwla ar gyfer cyfaint prism yn syml iawn.
Y rhan anodd, fel arfer, yw darganfod arwynebedd y trawstoriad.

Y Prawf Hollbwysig:

DYSGWCH y dudalen hon. Yna cuddiwch y dudalen a cheisiwch ysgrifennu'r cynnwys. Daliwch ati nes byddwch yn llwyddo.

Darganfyddwch gyfaint y prismau hyn:

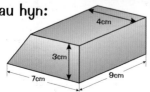

a) 4cm
3cm
7cm 9cm

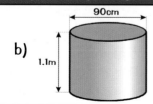

b) 90cm
1.1m

Solidau a Rhwydi

Mae angen i chi wybod ystyr <u>Wyneb</u>, <u>Ymyl</u> a <u>Fertig</u>:

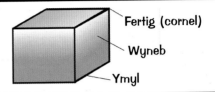

Fertig (cornel)

Wyneb

Ymyl

Arwynebedd Arwyneb a Rhwydi

1) Defnyddir <u>ARWYNEBEDD ARWYNEB</u> wrth sôn am wrthrychau tri dimensiwn solet yn unig ac, yn syml, mae'n golygu <u>cyfanswm arwynebedd yr holl arwynebau allanol</u>. Pe byddech chi'n peintio'r gwrthrych, dyma'r holl ddarnau y byddai'n rhaid i chi eu peintio!

2) <u>Nid oes fformiwla syml byth</u> ar gyfer darganfod arwynebedd arwyneb — <u>rhaid i chi gyfrifo arwynebedd</u> pob wyneb fesul un ac yna <u>EU HADIO</u>.

3) Yn syml, <u>RHWYD</u> yw <u>SIÂP SOLET WEDI EI AGOR YN FFLAT</u>.

4) Felly: <u>ARWYNEBEDD ARWYNEB SOLID = ARWYNEBEDD Y RHWYD</u>.

Mae 4 rhwyd y dylech fod yn gyfarwydd iawn â nhw ar gyfer yr Arholiad, ac fe'u dangosir isod. Mae'n eithaf posibl y gofynnir i chi dynnu llun un o'r rhwydi hyn ac yna darganfod yr arwynebedd.

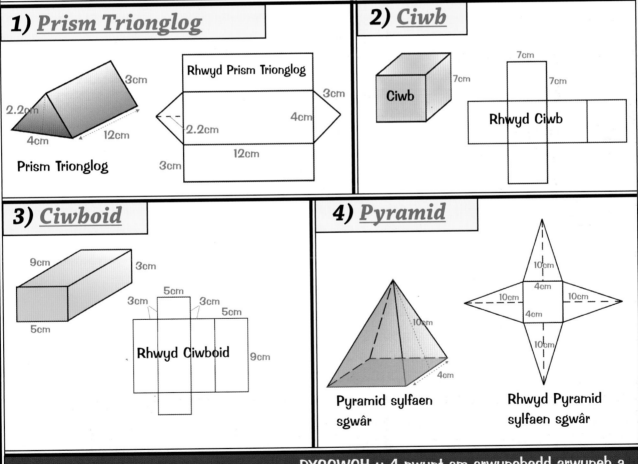

1) Prism Trionglog

Prism Trionglog

Rhwyd Prism Trionglog

2) Ciwb

Ciwb

Rhwyd Ciwb

3) Ciwboid

Rhwyd Ciwboid

4) Pyramid

Pyramid sylfaen sgwâr

Rhwyd Pyramid sylfaen sgwâr

Y Prawf Hollbwysig:

DYSGWCH y <u>4 pwynt am arwynebedd arwyneb a rhwydi</u> a'r <u>PEDAIR RHWYD</u> ar y dudalen hon, a hefyd y <u>diagram</u> bychan ar ben y dudalen.

Nawr cuddiwch y dudalen ac ysgrifennwch bopeth rydych chi wedi ei ddysgu.

1) Cyfrifwch arwynebedd y pedair rhwyd a ddangosir uchod.

ADRAN DAU – SIAPIAU AC ARWYNEBEDD

Hyd, Arwynebedd a Chyfaint

Adnabod Fformiwlâu drwy Edrych Arnynt yn unig

Nid yw hyn mor anodd ag y mae'n swnio, gan mai dim ond am fformiwlâu 3 pheth yr ydym yn sôn:

HYD, ARWYNEBEDD a CHYFAINT

Mae'r rheolau mor syml â hyn:

> Mewn **FFORMIWLÂU ARWYNEBEDD** mae'r **HYDOEDD WEDI EU LLUOSI MEWN PARAU** bob amser
>
> Mewn **FFORMIWLÂU CYFAINT** mae'r **HYDOEDD WEDI EU LLUOSI MEWN GRWPIAU O DRI** bob amser
>
> Mewn **FFORMIWLÂU HYD** (megis perimedrau) mae'r **HYDOEDD** bob amser yn **HYDOEDD UNIGOL**

Mewn fformiwlâu wrth gwrs, mae hydoedd yn cael eu cynrychioli gan lythrennau, felly pan ydych yn edrych ar fformiwla rydych yn chwilio am: grwpiau o lythrennau wedi eu lluosi â'i gilydd fesul un, dwy neu dair.
Ond cofiwch, nid yw π yn hyd.

Enghreifftiau:

cofiwch fod r² yn golygu r × r (gweler tud. 90)

$4\pi r^2 + 6d^2$ (arwynebedd) $Lwh + 6r^2L$ (cyfaint)

$4\pi r + 15L$ (hyd) $6hp + \pi r^2 + 7h^2$ (arwynebedd)

$3p(2b + a)$ (arwynebedd) $3\pi h(L^2 + 4P^2)$ (cyfaint)

Byddwch yn barod am y rhai anodd hyn sy'n cynnwys cromfachau – dylech luosi'r cromfachau yn gyntaf (gweler tud. 92)

Trawsnewid Mesuriadau Arwynebedd a Chyfaint

$$1m^2 = 100cm \times 100cm = 10,000cm^2$$

1) I newid mesuriadau arwynebedd o m² i cm² lluoswch yr arwynebedd sydd mewn m² â 10,000 (e.e. 3m² = 30,000cm²).

2) I newid mesuriadau arwynebedd o cm² i m² rhannwch yr arwynebedd sydd mewn cm² â 10,000 (e.e. 45,000cm² = 4.5m²).

1m² ← 100cm → , 100cm ↕

$$1m^3 = 100cm \times 100cm \times 100cm = 1,000,000cm^3$$

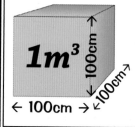
1m³

1) I newid mesuriadau cyfaint o m³ i cm³ lluoswch y cyfaint sydd mewn m³ â 1,000,000 (e.e. 3m³ = 3,000,000cm³).

2) I newid mesuriadau cyfaint o cm³ i m³ rhannwch y cyfaint sydd mewn cm³ â 1,000,000 (e.e. 4,500,000cm³ = 4.5m³).

Y Prawf Hollbwysig:

DYSGWCH y Rheolau ar gyfer Adnabod Fformiwlâu. Trowch y dudalen ac ysgrifennwch bopeth i lawr.

1) Dywedwch beth mae pob un o'r mynegiadau hyn yn ei gynrychioli: arwynebedd, cyfaint ynteu perimedr: πr^2 Lwh πd $\frac{1}{2}bh$ $2bh + 4lb$ $4r^2h + 3\pi d^3$ $2\pi r(3L + 5T)$
2) Trawsnewidiwch y mesuriadau arwynebedd hyn: a) 23m² → cm²   b) 34,500cm² → m²
3) Trawsnewidiwch y mesuriadau cyfaint hyn: a) 5.2m³ → cm³   b) 100,000cm³ → m³

Cyfathiant a Chyflunedd

Cyfath

Mae cyfathiant yn air mathemategol arall sy'n swnio'n anodd tu hwnt, ond mae'r syniad yn un syml mewn gwirionedd:

> Os yw dau siâp yn **GYFATH**, maen nhw **YR UN FATH**
>
> – yr **UN MAINT** a'r **UN SIÂP**.
> Dyna'r cwbl mae'n ei olygu. Gofalwch eich bod yn gwybod y gair.

CYFATH: Yr un maint, yr un siâp.
Sylwer — mae'n bosibl cael drychddelweddau.

Cyflun

Dyma air mathemategol arall sy'n golygu rhywbeth arbennig — ond nid yw'n anodd:

> Os yw dau siâp yn **GYFLUN** maen nhw
>
> Yn union yr **UN SIÂP** ond o **FAINT GWAHANOL**.
> Mae angen i chi gofio'r gair "cyflun" hefyd.

CYFLUN: yr un siâp, maint gwahanol

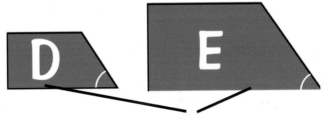

Cofiwch: pan fydd gennych siapiau cyflun, bydd yr onglau bob amser yr un fath

Gellir ystyried dau siâp cyflun fel "helaethiad" ... gweler tudalennau 56-59.

Y Prawf Hollbwysig:

1) a) Pa rai o'r pedwar siâp canlynol sy'n gyflun?
   b) Pa rai sy'n gyfath?

i)   ii)   iii)   iv)

Prawf Adolygu Adran Dau

YMA DISGWYLIR ICHI ddefnyddio'r holl ddulliau yr ydych wedi eu dysgu yn Adran Dau i ateb y cwestiynau hyn.

1) Beth yw'r tri math o gymesuredd?

2) Lluniwch y 4 siâp hyn a dangoswch yr holl linellau cymesuredd.
   a) Paralelogram b) Rhombws c) Trapesiwm ch) Triongl Isosgeles
   Dywedwch hefyd beth yw trefn cymesuredd cylchdro pob un ohonynt.

3) Brasluniwch y pedwar siâp hyn a dangoswch un plân cymesuredd ar bob un:
   a) Prism Trionglog   b) Côn   c) Silindr   ch) Sffêr

4) Lluniwch uwcholwg, ochrolwg a blaen olwg ar gyfer y ciwboid hwn:
   Sawl plân cymesuredd sydd ganddo?

5) Cyfrifwch onglau allanol a mewnol octagon rheolaidd (8 ochr).

6) Beth yw perimedr?
   Darganfyddwch berimedr ac arwynebedd y siâp hwn:

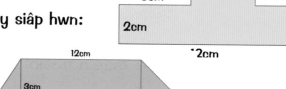

7) Darganfyddwch arwynebedd y siâp hwn:

8) Beth yw'r DDWY FFORMIWLA AR GYFER CYLCH?

9) a) Beth yw π?
   b) Os yw diamedr cylch yn 12m, beth yw ei radiws?

10) Lluniwch gylch a dangoswch y canlynol arno: tangiad, cord ac arc.

11) Mae radiws plât yn 6cm. Darganfyddwch y CYLCHEDD.

12) Darganfyddwch ARWYNEBEDD yr un plât.

13) Mae radiws olwyn car yn 0.5m. Sawl gwaith y bydd angen iddi droi fel bo'r car yn symud ymlaen 150m?

14) Cyfrifwch gyfeintiau'r ddau wrthrych a ddangosir.

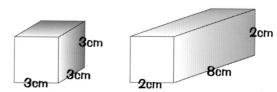

15) Lluniwch fraslun o'r pedwar solid hyn a lluniwch y rhwyd ar gyfer pob un:
    a) Ciwb   b) Ciwboid   c) Prism trionglog   ch) Pyramid

16) Dywedwch beth y mae pob un o'r mynegiadau hyn yn ei gynrychioli: hydoedd, arwynebeddau ynteu gyfeintiau? (mae'r holl lythrennau yn hydoedd)
    a) $5l + 6w$ b) $5l^2 - 50lw$ c) $25R^2 - 16r^2$ ch) $25x^3$

17) Trawsnewidiwch y canlynol: a) 250 000 cm² yn m²   b) 2.1 m³ yn cm³

Unedau Metrig ac Imperial

Mae'n bosibl ennill <u>Marciau Hawdd</u> yn y pwnc hwn — gofalwch eich bod yn eu cael.

Unedau Metrig

1) <u>Hyd</u>   mm, cm, m, km
2) <u>Arwynebedd</u>   mm², cm², m², km²
3) <u>Cyfaint</u>   mm³, cm³, m³, litrau, ml
4) <u>Pwysau</u>   g, kg, tunelli metrig
5) <u>Buanedd</u>   km/awr, m/s

DYSGWCH Y FFEITHIAU ALLWEDDOL HYN:

1 cm = 10mm	1 dunnell fetrig = 1000kg
1 m = 100cm	1 litr = 1000ml
1 km = 1000m	1 litr = 1000cm³
1 kg = 1000g	1 cm³ = 1ml

Unedau Imperial

1) <u>Hyd</u>   Modfeddi, troedfeddi, llathenni, milltiroedd
2) <u>Arwynebedd</u>   Modfeddi sgwâr, troedfeddi sgwâr, llathenni sgwâr, milltiroedd sgwâr
3) <u>Cyfaint</u>   Modfeddi ciwbig, troedfeddi ciwbig, galwyni, peintiau
4) <u>Pwysau</u>   ownsys, pwysi, stonau, tunelli
5) <u>Buanedd</u>   mya

DYSGWCH Y RHAIN HEFYD!

- 1 Droedfedd = 12 Modfedd
- 1 Llathen = 3 Troedfedd
- 1 Galwyn = 8 Peint
- 1 Ston = 14 Pwys (lb)
- 1 Pwys = 16 Owns (oz)

Trawsnewidiadau Metrig – Imperial

<u>MAE ANGEN DYSGU'R RHAIN</u> – efallai na fyddant wedi eu rhoi i chi yn yr Arholiad.

Trawsnewidiadau Bras

1 kg = 2¼ lb	1 galwyn = 4.5 litr
1 m = 1 llathen (+10%)	1 droedfedd = 30 cm
1 litr = 1¾ peint	1 <u>dunnell fetrig</u> = 1 <u>dunnell imperial</u>
1 fodfedd = 2.5 cm	1 filltir = 1.6 km
	neu 5 milltir = 8 km

Y Prawf Hollbwysig:

Yn y bocsys tywyll uchod, <u>mae 21 o Drawsnewidiadau</u>. DYSGWCH NHW, yna cuddiwch y dudalen a'u hysgrifennu.

1) a) Sawl cm yw 2 fetr?   b) Sawl mm yw 6.5cm?
2) a) Sawl kg yw 2500g?   b) Sawl litr yw 1500cm³?
3) Mae ffon yn 46 modfedd o hyd. Faint yw hyn mewn troedfeddi a modfeddi?
4) a) Yn fras, sawl llathen yw 200m?   b) Sawl cm yw 6 throedfedd 3 modfedd?

Talgrynnu

Pan fo gennych <u>RIFAU DEGOL</u> efallai y bydd rhaid ichi eu talgrynnu i'r rhif cyfan agosaf. Y drafferth yw efallai y gofynnir ichi eu talgrynnu hefyd naill ai i <u>UN LLE DEGOL</u> (neu o bosibl i <u>DDAU le degol</u>). Nid yw hyn yn rhy anodd ond mae'n rhaid ichi ddysgu rhai rheolau ar ei gyfer:

Dull Sylfaenol

1) <u>Chwiliwch</u> am safle'r DIGID OLAF.

2) Yna edrychwch ar y <u>digid nesaf i'r dde</u> — hwn yw'r PENDERFYNWR.

3) Os yw'r PENDERFYNWR yn <u>5 neu fwy</u>, yna <u>TALGRYNNWCH</u> y DIGID OLAF <u>I FYNY</u>. Os yw'r PENDERFYNWR yn <u>4 neu lai</u>, yna gadewch y DIGID OLAF fel y mae.

<u>ENGHRAIFFT</u>: Beth yw 7.35 i 1 Lle Degol?

$$7.\textcircled{3}\textcircled{5} \quad = \quad 7.4$$

Y <u>DIGID OLAF</u> sydd ei angen (oherwydd ein bod yn talgrynnu i 1 Lle Degol)

<u>PENDERFYNWR</u>

Mae'r <u>DIGID OLAF</u> yn <u>TALGRYNNU I FYNY</u> i 4 oherwydd bod y <u>PENDERFYNWR</u> yn <u>5 neu fwy</u>

Lleoedd Degol (Ll.D.)

1) I dalgrynnu i <u>UN LLE DEGOL</u>, y DIGID OLAF fydd yr un <u>yn union ar ôl y pwynt degol</u>.

2) Nid oes angen <u>DIM RHAGOR O DDIGIDAU</u> ar ôl y DIGID OLAF (dim hyd yn oed seroau).

ENGHREIFFTIAU

Talgrynnwch 2.34 i 1 lle degol.	ATEB:	<u>2.3</u>
Talgrynnwch 4.57 i 1 lle degol.	ATEB:	<u>4.6</u>
Talgrynnwch 2.08 i 1 lle degol.	ATEB:	<u>2.1</u>
Talgrynnwch 2.346 i 2 le degol.	ATEB:	<u>2.35</u>

Y Prawf Hollbwysig:

1) DYSGWCH <u>3 Cham y Dull Sylfaenol</u> a'r <u>2 Reol Ychwanegol</u> ar gyfer Lleoedd Degol.

2) Talgrynnwch y rhifau hyn i <u>1 lle degol</u>:

    a) 3.24   b) 1.78   c) 2.31   ch) 0.46   d) 9.76

3) Talgrynnwch y rhain i'r <u>rhif cyfan agosaf</u>:

    a) 3.4   b) 5.2   c) 1.84   ch) 6.9   d) 3.26

Talgrynnu

Talgrynnu _Rhifau Cyfan_

Y ffyrdd hawsaf o dalgrynnu rhif cyfan yw:

1) "I'r RHIF CYFAN agosaf"   2) "I'r DEG agosaf"

3) "I'r CANT agosaf"   4) "I'r FIL agosaf"

Nid yw hyn yn anodd, cyn belled â'ch bod yn cofio'r 2 REOL:

> 1) Mae'r rhif bob amser rhwng 2 ATEB POSIBL.
>   Dewiswch yr un sydd AGOSAF ATO.
>
> 2) Os yw'r rhif yn union yn y CANOL, yna
>   TALGRYNNWCH I FYNY.

ENGHREIFFTIAU:

1) Rhowch 231 i'r DEG agosaf.

   ATEB: Mae 231 rhwng 230 a 240, ond mae'n agosach at 230

2) Rhowch 145 i'r CANT agosaf.

   ATEB: Mae 145 rhwng 100 a 200, ond mae'n agosach at 100

3) Talgrynnwch 45.7 i'r RHIF CYFAN agosaf.

   ATEB: Mae 45.7 rhwng 45 a 46, ond mae'n agosach at 46

4) Talgrynnwch 4500 i'r FIL agosaf.

   ATEB: Mae 4500 rhwng 4000 a 5000. Mae'n union hanner ffordd rhwng y ddau. Felly rydym yn TALGRYNNU I FYNY (gweler Rheol 2 uchod) i 5000.

Ffigurau Ystyrlon

> 1) Y MWYAF O FFIGURAU YSTYRLON sydd gan rif, y MWYAF MANWL GYWIR ydyw.
>
> 2) NIFER Y FFIGURAU YSTYRLON yw NIFER Y DIGIDAU sydd gan rif ar ei flaen NAD YDYNT YN SERO.

ENGHREIFFTIAU:

Mae 3 ffigur ystyrlon gan 234	Mae 2 ffig. yst. gan 230	Mae 1 ffig. yst. gan 900
Mae 3 ffig. yst. gan 9810	Mae 1 ffig. yst. gan 4000	Mae 2 ffig. yst. gan 2.8

Y Prawf Hollbwysig:

1) Talgrynnwch y rhain i'r 10 agosaf:
   a) 453   b) 682   c) 46.2   ch) 98   d) 14

2) Talgrynnwch y rhifau hyn i'r nifer o ffigurau ystyrlon a nodir:
   a) 352 i 2 ffig. yst.   b) 465 i 1 ffig. yst.   c) 12.38 i 3 ffig. yst.
   ch) 0.03567 i 2 ffig. yst.

3) Talgrynnwch y rhifau hyn i'r cant agosaf: a) 2865   b) 450   c) 123

Manwl gywirdeb ac Amcangyfrif

Manwl gywirdeb Priodol

Yn yr Arholiad mae'n eithaf tebygol y byddwch yn cael cwestiwn am 'radd briodol o fanwl gywirdeb' ar gyfer mesuriad arbennig. Felly sut ydych yn penderfynu beth yw manwl gywirdeb priodol? Y gyfrinach ar gyfer hyn yw nifer y ffigurau ystyrlon (gweler tud. 39) yr ydych yn eu rhoi i'r rhif:

1) Ar gyfer mesuriadau heb fod yn rhy bwysig, **2 FFIGUR YSTYRLON** yw'r mwyaf addas.

E.e. COGINIO — 250 g (2 ffig. yst.) o siwgr, nid 253 g (3 Ffig. Yst.), neu 300 g (1 Ffig. Yst.)

PELLTER TAITH — 450 milltir neu 25 milltir neu 3500 milltir (i gyd i 2 ffig. yst.)

ARWYNEBEDD GARDD NEU LAWR — 330 m² neu 15 m²

2) Ar gyfer PETHAU PWYSICACH NEU DECHNEGOL, mae **3 FFIGUR YSTYRLON** yn hanfodol.

E.e. HYD fydd yn cael ei DORRI I FFITIO,
e.e. byddech yn mesur silff yn 25.6cm o hyd (ac nid 26cm neu 25.63cm)

FFIGUR TECHNEGOL, e.e. 34.2 milltir y galwyn, (yn hytrach na 34 m.y.g.)

Unrhyw fesuriad MANWL GYWIR â phren mesur: e.e. 67.5cm, (nid 70cm neu 67.54cm)

3) Dim ond ar gyfer GWAITH GWIR WYDDONOL y byddech yn cael mwy na **3 FFIG. YST.**

Er enghraifft, dim ond rhywun hynod o awyddus fyddai eisiau gwybod hyd darn o linyn i'r ddegfed ran agosaf o mm — er enghraifft 34.46cm. (Trist iawn!)

Amcangyfrif Cyfrifiadau

Cyn belled â'ch bod yn sylweddoli beth a ddisgwylir, mae hyn yn HAWDD IAWN. Mae rhai pobl yn drysu'n lân wrth or-gymhlethu pethau. Er mwyn cael amcangyfrif o rywbeth, dyma sydd raid i chi ei wneud:

> **1) TALGRYNNWCH BOPETH** gan adael **RHIFAU HWYLUS** hawdd.
> **2)** Yna **CYFRIFWCH YR ATEB** gan ddefnyddio'r rhifau hawdd hynny
> — a dyna ni!

Nid oes raid i chi boeni bod yr ateb yn "anghywir", oherwydd yr unig beth yr ydym yn ei wneud yw ceisio cael syniad bras o faint yr ateb iawn, e.e. a yw tua 20 neu tua 200? Peidiwch ag anghofio, fodd bynnag, y bydd angen i chi ddangos yr holl gamau yn yr Arholiad, er mwyn profi nad dim ond defnyddio cyfrifiannell a wnaethoch.

Enghraifft: AMCANGYFRIFWCH werth $\dfrac{127 + 49}{56.5}$ gan ddangos eich holl waith cyfrifo.

ATEB:

$$\frac{127 + 49}{56.5} \approx \frac{130 + 50}{60} = \frac{180}{60} = 3 \qquad \text{(Mae "} \approx \text{" yn golygu "bron yn hafal i")}$$

Manwl gywirdeb ac Amcangyfrif

Amcangyfrif Arwynebedd a Chyfaint

Nid yw hyn yn rhy anodd chwaith cyn belled â'ch bod yn <u>DYSGU DAU GAM</u> y dull:

1) Lluniwch neu ddychmygwch <u>BETRYAL NEU GIWBOID</u> o faint tebyg i'r gwrthrych yn y cwestiwn.
2) <u>Talgrynnwch yr hydoedd i gyd i'r RHIF CYFAN AGOSAF</u>, ac yna cyfrifwch — hawdd!

<u>ENGHREIFFTIAU:</u>

a) <u>Amcangyfrifwch arwynebedd y siâp hwn:</u>

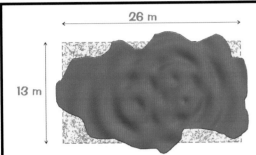

Mae <u>arwynebedd y siâp</u> yn <u>fras yn hafal i</u> arwynebedd y petryal sydd wedi ei lunio â llinellau toredig.
h.y. 26 m × 13 m = <u>338m²</u>
(neu, heb gyfrifiannell:
30 × 10 = 300 m²)

b) <u>Amcangyfrifwch gyfaint y botel:</u>

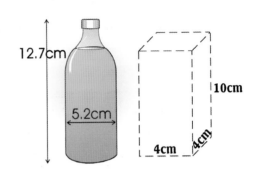

Mae <u>cyfaint y botel</u> yn <u>fras yn hafal i</u> gyfaint y ciwboid sydd wedi ei lunio â llinellau toredig.
= 4 × 4 × 10
= <u>160 cm³</u>

Amcangyfrif Ail Israddau

Mae hyn yn edrych yn ddychrynllyd — ond chewch chi ddim trafferth os ydych yn gwybod eich rhifau sgwâr (tudalen 6).

1) Darganfyddwch y DDAU RIF SGWÂR O BOPTU'R rhif dan sylw.
2) Darganfyddwch yr AIL ISRADDAU a dewiswch RIF SYNHWYROL RHYNGDDYNT.

<u>ENGHRAIFFT:</u> "<u>Amcangyfrifwch</u> √85 heb ddefnyddio cyfrifiannell."

① Y rhifau sgwâr o boptu 85 yw <u>81</u> a <u>100</u>.

② Yr ail israddau yw 9 a 10, felly mae'n rhaid bod √85 <u>rhwng 9 a 10</u>. Ond mae 85 yn llawer nes at 81 nag at 100, felly mae'n rhaid bod √85 yn llawer <u>nes at 9 nag</u> at 10. Felly dewiswch <u>9.1, 9.2 neu 9.3</u>. (Yr ateb, os ydych eisiau gwybod, yw 9.2195...)

Y Prawf Hollbwysig:
DYSGWCH y <u>3 RHEOL</u> ar gyfer <u>Manwl Gywirdeb Priodol</u> a'r <u>RHEOLAU</u> ar gyfer <u>Amcangyfrif</u>.

Yna cuddiwch y dudalen ac <u>ysgrifennwch yr holl reolau</u> gan ddibynnu ar eich cof.

<u>YNA RHOWCH GYNNIG AR Y CANLYNOL:</u>

1) Penderfynwch i ba gategori o fanwl gywirdeb y <u>dylai'r</u> canlynol berthyn ac yna eu talgrynnu: a) <u>Jar o jam</u> sy'n pwyso 234.56g   b) <u>Car</u> â buanedd uchaf o 134.25mya
   c) <u>Teisen</u> sydd angen 852.3g o flawd   ch) <u>Bwrdd</u> sy'n 76.24cm o uchder.
2) Amcangyfrifwch y canlynol: a) arwynebedd Prydain mewn milltiroedd sgwâr,
   b) cyfaint tun o ffa pob mewn cm³.
3) Amcangyfrifwch y canlynol: a) √34   b) √5   c) √61   ch) √22

Ffactorau Trawsnewid

Mae defnyddio Ffactorau Trawsnewid yn ffordd dda iawn o ddelio ag amrywiaeth eang o gwestiynau ac mae'r dull yn un hawdd iawn.

Dull

1) Darganfyddwch y Ffactor Trawsnewid (bob amser yn hawdd)

2) Lluoswch A rhannwch â hwn

3) Dewiswch yr ateb sy'n gwneud synnwyr

Enghraifft 1

"Cafodd malwen fôr anferth o'r enw Mali ei gadael ar draeth ger Harlech. Roedd hi'n mesur mwy na 5.75 m o hyd. Faint yw hynny mewn cm?"

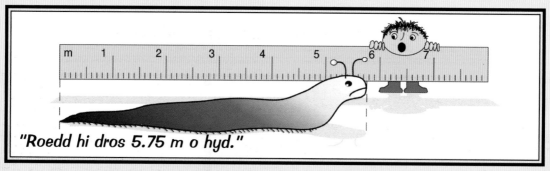

"Roedd hi dros 5.75 m o hyd."

Trawsnewidiwch 5.75 m yn cm.

Cam 1) Darganfyddwch y FFACTOR TRAWSNEWID
    Yn y cwestiwn hwn mae'r Ffactor Trawsnewid yn 100
    — oherwydd 1 m = 100 cm

Cam 2) LLUOSWCH A RHANNWCH â'r ffactor trawsnewid:
    5.75 m × 100 = 575 cm (sy'n gwneud synnwyr)
    5.75 m ÷ 100 = 0.0575 cm (chwerthinllyd)

Cam 3) Dewiswch yr ateb sy'n GWNEUD SYNNWYR:
    Mae'n amlwg mai'r ateb yw 5.75 m = 575 cm

Ffactorau Trawsnewid

Enghraifft 2

"Os yw £1 yn hafal i 1.7 Doler Americanaidd, faint yw 63 Doler mewn punnoedd?"

Cam 1) <u>Darganfyddwch y FFACTOR TRAWSNEWID</u>

Yn y cwestiwn hwn, mae'n amlwg mai <u>1.7</u> yw'r <u>Ffactor Trawsnewid</u>
(Y "Gyfradd Gyfnewid" yw'r enw arno wrth newid arian tramor.)

Cam 2) <u>LLUOSWCH A RHANNWCH</u> â'r ffactor trawsnewid:

$63 \times 1.7 = 107.1 = £107.10$
$63 \div 1.7 = 37.06 = £37.06$

Cam 3) <u>Dewiswch yr ateb sy'n GWNEUD SYNNWYR</u>:

Nid yw mor amlwg y tro hwn, ond gan fod 1.7 Doler Americanaidd = £1, mae'n amlwg y bydd gennych <u>lai</u> o bunnoedd nag o Ddoleri (hanner yn fras).
Mewn geiriau eraill, mae'n rhaid i'r ateb fod yn <u>llai na</u> 63, felly mae'n <u>£37.06</u>

Enghraifft 3

"Eitem boblogaidd yn ein siop leol yw 'Saws Sosi' (nid yw ar gael ym mhob ardal).
Y maint mwyaf poblogaidd yw'r Maint Safonol sy'n pwyso 2400g. Faint yw hyn mewn kg?

Cam 1) <u>Ffactor Trawsnewid = 1000</u> (yn syml oherwydd bod 1kg = 1000g)

Cam 2) $2400 \times 1000 = 2,400,000$kg   (Tybed?)
$2400 \div 1000 = 2.4$kg   (Dyna ateb mwy synhwyrol)

Cam 3) Felly rhaid mai'r ateb yw 2400g = <u>2.4kg</u>

Y Prawf Hollbwysig:

DYSGWCH <u>3 cham</u> y <u>Dull Ffactor Trawsnewid</u>.
Yna cuddiwch y dudalen <u>a'u hysgrifennu</u>.

1) Darganfuwyd fod Mali'r falwen fôr yn pwyso 0.16 tunnell fetrig. Faint yw hyn mewn kg?
2) Mae Cwmni Saws Sosi hefyd yn gwneud cwstard. Sawl peint yw 2½ galwyn o'r cwstard?

Talgrynnu Mesuriadau

Mae gan lawer o bethau yr ydych yn eu mesur werth na allwch byth ei wybod yn union, pa mor ofalus bynnag y ceisiwch eu mesur.
Cymerwch y falwen lysnafeddog ddu hon er enghraifft:

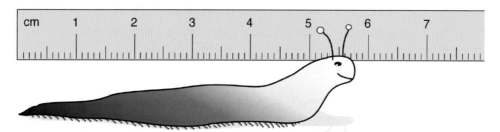

Mae ei hyd rywle rhwng 5 cm a 6 cm ac os edrychwch yn fanylach, gallwch hyd yn oed ddweud ei fod rhwng 5.7 cm a 5.8 cm, ond allwch chi ddim bod yn fwy manwl na hynny.

Felly rydym yn gwybod ei hyd o fewn 0.1 cm. (Ond, a dweud y gwir, pwy fyddai eisiau gwybod hyd malwen lysnafeddog ddu yn fwy cywir na hynny?)

Yr hyn sydd raid ei gofio yw, pan fyddwch yn mesur pethau fel hydoedd, pwysau, buaneddau, ayb, bydd raid ichi roi eich ateb ar lefel benodol o fanwl gywirdeb bob tro, oherwydd allwch chi byth gael yr union ateb.

Dyma'r rheol syml:

> ### Rydych bob amser yn talgrynnu i'r rhif AGOSAF

Os cymerwn ein malwen lysnafeddog, yna ei hyd i'r cm agosaf yw 6 cm (yn hytrach na 5 cm), ac i'r 0.1 cm agosaf mae'n 5.8 cm (yn hytrach na 5.7).

Cyfraddau Postio

Mae'r busnes hwn o dalgrynnu i'r rhif agosaf yn ddigon hawdd, ond yn yr Arholiad gallech gael cwestiwn ynglŷn â faint yw'r gost o anfon parsel, ac mae'r rheolau wedyn yn hollol wahanol.

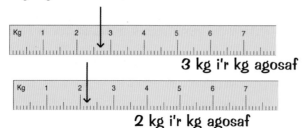

3 kg i'r kg agosaf

2 kg i'r kg agosaf

CYFRADDAU POSTIO	
Pwysau heb fod dros:	Pris
1 kg	£2.70
2 kg	£3.30
3 kg	£4.10

Byddai un darlleniad yn talgrynnu i 3 kg a'r llall i 2 kg. Ond mae'r gyfradd postio wedi ei seilio ar "BWYSAU HEB FOD DROS ..." felly byddai'r ddau yn costio'r un faint (£4.10) oherwydd mae'r ddau yn fwy na 2 kg ond yn llai na 3 kg. Mae'n lletchwith, felly byddwch yn ofalus os cewch gwestiynau fel hwn.

Cwestiynau ar Amser y Cloc

Gan fod pob popty microdon yn y wlad yn defnyddio'r cloc 24 awr, dylech fod yn gwybod sut i'w ddarllen erbyn hyn. Yr unig beth efallai y bydd angen eich atgoffa ohono yw'r "am" a'r "pm" ar y cloc 12 awr:

`20:23:47`

`08:23:47`

1) am a pm

Mae "am" yn golygu "Bore"
Mae "pm" yn golygu "Prynhawn a Gyda'r Nos"

"am" — 12 o'r gloch ganol nos hyd 12 o'r gloch ganol dydd
"pm" — 12 o'r gloch ganol dydd hyd 12 o'r gloch ganol nos

(ond dylech wybod hynny eisoes)

2) Trawsnewidiadau

Yn sicr bydd rhaid i chi wybod y ffeithiau hynod bwysig hyn:

1 diwrnod = 24 awr
1 awr = 60 munud
1 funud = 60 eiliad

3) Cwestiynau arholiad yn ymwneud ag "amser"

Yn yr arholiad mae llawer o gwestiynau gwahanol y gallwch eu cael sy'n ymwneud ag amser ond bydd yr HEN DDULL DA A DIBYNADWY yn gweithio'n wych gyda phob un ohonynt.

"A beth yw'r hen ddull da a dibynadwy hwn?", rwy'n eich clywed chi'n gofyn. Wel, dyma fe:

Cymerwch bwyll, ysgrifennwch y gwaith a'i rannu'n GAMAU HAWDD A BYR

ENGHRAIFFT: Mae trên yn cychwyn am 1325 ac yn cyrraedd pen ei daith am 1910. Faint o amser mae'r daith yn ei gymryd?

PEIDIWCH BYTH â cheisio cyfrifo popeth yn eich pen ar un tro. Mae'r dull gwirion hwn yn methu bron bob tro. YN HYTRACH, GWNEWCH HYN:

"Cymerwch bwyll, ysgrifennwch y gwaith a'i rannu yn GAMAU HAWDD A BYR"

1325　→　1400　→　1900　→　1910
　　　35 munud　　5 awr　　10 munud

Dyma ffordd ddiogel braf o ddarganfod cyfanswm yr amser rhwng 1325 a 1910:
5 awr + 35 munud + 10 munud = 5 awr 45 munud.

4) Os ydych yn defnyddio Cyfrifiannell, BYDDWCH YN OFALUS TU HWNT ...

Ceisiwch osgoi defnyddio cyfrifiannell wrth fesur amser — mae hyn yn boen.
Byddwch yn cael yr atebion mewn degolion, a bydd raid ichi eu trawsnewid yn oriau a munudau. Felly dysgwch yr enghraifft hon yn dda:

2.5 awr = 2½ awr = 2 awr a 30 munud

Swnio'n gywir?
Wrth gwrs.

FELLY PEIDIWCH AG YSGRIFENNU RHYWBETH GWIRION, fel:

2.5 awr = 2 awr 50 munud

ANGHYWIR ANGHYWIR ANGHYWIR ANGHYWIR!!

Y Prawf Hollbwysig:

1) Beth yw 1715 fel amser ar y cloc 12 awr? (Cofiwch am/pm)
2) Mae awyren yn cychwyn ar ei thaith am 10.15 am. Mae'n hedfan am 5 awr 50 munud. Faint o'r gloch mae'n glanio?
3) Sawl munud sydd mewn diwrnod? Sawl eiliad sydd mewn diwrnod?
4) Beth yw 3.5 awr mewn oriau a munudau? Beth yw 5¾ awr mewn oriau a munudau?

Adran Tri - Mesurau

Mapiau a Graddfeydd Mapiau

1) "1 cm = hyn a hyn o km" yw'r raddfa fwyaf cyffredin ar gyfer mapiau.

2) Y cyfan mae hyn yn ei ddweud wrthych yw sawl km go iawn a gynrychiolir gan 1 cm ar y map

1) *Trawsnewid "cm ar y Map" yn "km go iawn"*

Mae'r map hwn yn dangos Traffordd Rufeinig wreiddiol yr M6 a adeiladwyd gan yr Ymerawdwr Hadrian yn y flwyddyn 120 O.C.

> Graddfa'r map yw "1 cm i 8 km"
> "Cyfrifwch hyd y rhan o'r M6 sydd rhwng Wigan a Preston".

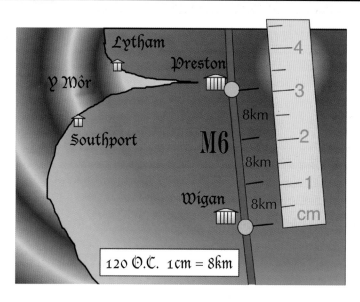

Dyma'r hyn yr ydych yn ei wneud (fel y dangosir yn y diagram)

1) RHOWCH EICH PREN MESUR YN ERBYN Y PETH yr ydych eisiau darganfod ei hyd

2) MARCIWCH BOB CM CYFAN AC YSGRIFENNWCH Y PELLTER MEWN KM wrth ymyl pob un ohonynt

3) ADIWCH YR HOLL BELLTEROEDD KM I DDARGANFOD CYFANSWM HYD y ffordd mewn km. (h.y. 8 km + 8 km + 8 km = 24 km)

Wrth gwrs, os yw'r cwestiwn yn dweud wrthych fod yr hyd yn 4 cm, ni fyddwch yn gallu rhoi eich pren mesur arno.

Mewn sefyllfa felly, dylech dynnu llinell ddychmygol 4 cm o hyd, ac yna marcio'r km arni gan ddefnyddio eich pren mesur, yn union fel y dangosir yn yr enghraifft ar y dudalen nesaf:

Mapiau a Graddfeydd Mapiau

2) *Trawsnewid "km go iawn" yn*

"cm ar y Map"

Enghraifft:

"Mae map yn cael ei lunio ar raddfa o 1 cm i 2 km. Os yw ffordd yn 12 km o hyd go iawn, beth fydd ei hyd mewn cm ar y map?"

Ateb:

1) Dechreuwch drwy lunio'r ffordd fel llinell syth:

2) Marciwch bob cm a nodwch sawl km mae pob un ohonynt yn ei gynrychioli.

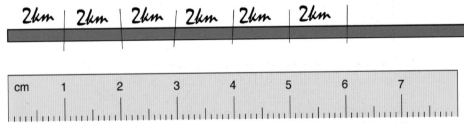

3) Ewch yn ei blaen <u>hyd nes bydd y km yn adio i roi'r pellter cyfan</u>
(12 km yn yr achos hwn).

Yna <u>cyfrwch sawl cm yw eich llinell</u>
(<u>6 cm</u> yn yr achos hwn).

Y Prawf Hollbwysig:

1) DYSGWCH y 3 rheol ar gyfer gweithio gyda graddfeydd map.
2) Cyfrifwch hyd y rhedfa a ddangosir yma mewn metrau:

GRADDFA: 1cm i 200m

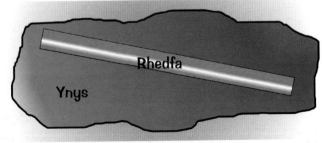

3) Sawl cm ar y map fyddai hyd rhedfa maes awyr sy'n 500m?

Trionglau Fformiwla

Mae trionglau fformiwla yn ffordd <u>hynod o effeithiol</u> o ddatrys nifer o broblemau mathemategol cymhleth. Maen nhw'n <u>hawdd iawn i'w defnyddio</u> ac yn <u>hawdd iawn i'w cofio</u>. Edrychwch ar y canlynol:

Os oes 3 pheth yn cael eu cysylltu â'i gilydd trwy fformiwla sy'n edrych

fel hyn: $A = B \times C$ neu fel hyn: $B = \dfrac{A}{C}$

yna gallwch eu gosod mewn <u>TRIONGL FFORMIWLA</u> fel hyn:

---

1) _Yn gyntaf penderfynwch ar leoliad y llythrennau:_

1) Os oes <u>DWY LYTHYREN YN CAEL EU LLUOSI Â'I GILYDD</u> yn y fformiwla, yna dylent gael eu gosod <u>AR WAELOD</u> y Triongl Fformiwla (ac felly rhaid i'r <u>llythyren arall</u> fynd <u>ar y top</u>).

Er enghraifft, mae'r fformiwla "<u>F = m × a</u>" yn ymddangos fel hyn yn y triongl fformiwla →

2) Os oes <u>UN PETH YN CAEL EI RANNU Â RHYWBETH ARALL</u> yn y fformiwla yna mae'r hyn sydd ar <u>RAN UCHAF Y RHANNU</u> yn mynd <u>AR DOP Y TRIONGL FFORMIWLA</u> (ac felly rhaid i'r ddau arall fynd <u>ar y gwaelod</u> — nid yw'r drefn yn bwysig).

Felly, mae'r fformiwla "<u>Buanedd = Pellter / Amser</u>" yn ymddangos fel hyn yn y triongl fformiwla ↑.

---

2) _Defnyddio'r Triongl Fformiwla:_

Unwaith y byddwch wedi deall y triongl fformiwla bydd gweddill y gwaith yn hawdd:
1) <u>CUDDIWCH</u> yr hyn rydych chi eisiau ei ddarganfod ac <u>YSGRIFENNWCH</u> yr hyn sydd ar ôl.
2) <u>YSGRIFENNWCH Y GWERTHOEDD</u> ar gyfer y ddau beth arall a <u>CHYFRIFWCH YR ATEB</u>.

Enghraifft:
"Gan ddefnyddio "<u>F = m × a</u>", darganfyddwch werth 'a' pan yw
F = 20 ac m = 50"

ATEB: Gan ddefnyddio'r triongl fformiwla, mae angen darganfod "a" felly rydym yn cuddio "a". Mae hyn yn gadael "F/m" (h.y. F ÷ m).
Felly "a = F/m", ac o roi'r rhifau yn eu lle rydym yn cael: a = 20/50 = <u>0.4</u>

Y Prawf Hollbwysig:

<u>DYSGWCH Y DUDALEN GYFAN</u> yna cuddiwch hi ac <u>ysgrifennwch</u> yr holl fanylion pwysig yn cynnwys yr enghreifftiau.

Dwysedd a Buanedd

Efallai eich bod yn meddwl mai ffiseg yw hyn, ond mae dwysedd yn rhan o'r maes llafur mathemateg. Y fformiwla safonol ar gyfer dwysedd yw:

Dwysedd = Màs ÷ Cyfaint

felly gallwn ei roi mewn TRIONGL FFORMIWLA fel hyn:

Mae'n RHAID i chi gofio'r fformiwla hon ar gyfer dwysedd, gan na fyddwch yn ei chael yn yr Arholiad. Y dull gorau o ddigon yw cofio trefn y llythrennau yn y triongl fformiwla, sef D^{M}C.

ENGHRAIFFT:

Darganfyddwch gyfaint gwrthrych a chanddo fàs o 40 g a dwysedd o 6.4 g/cm³

ATEB: I ddarganfod cyfaint, cuddiwch C yn y triongl fformiwla. Mae hyn yn gadael M/D, felly C = M ÷ D
= 40 ÷ 6.4
= 6.25 cm³

Buanedd = Pellter ÷ Amser

Mae hyn yn rhywbeth cyffredin iawn. Mewn gwirionedd mae'n debyg ei fod yn ymddangos yn yr arholiad bob blwyddyn — ond ni fyddant byth yn rhoi'r fformiwla i chi! Dysgwch hi ymlaen llaw — mae'n ffordd hawdd o ennill marciau. Ac i'ch helpu mae yna DRIONGL FFORMIWLA hawdd:

Wrth gwrs mae'n rhaid i chi ddal i gofio trefn y llythrennau yn y triongl (B^{P}A).

ENGHRAIFFT:

"Mae car yn teithio 90 milltir ar fuanedd o 36 milltir yr awr. Faint o amser mae'r daith yn ei gymryd?"

ATEB: I ddarganfod yr AMSER, cuddiwch A yn y triongl sy'n gadael P/B,

felly   A = P/B = Pellter ÷ buanedd = 90 ÷ 36 = 2.5 awr

DYSGWCH Y TRIONGL FFORMIWLA, A BYDD CWESTIYNAU BUANEDD, PELLTER AC AMSER YN HAWDD IAWN.

Y Prawf Hollbwysig:
DYSGWCH y fformiwlâu ar gyfer DWYSEDD a BUANEDD — a hefyd y ddau Driongl fformiwla.

1) Beth yw'r fformiwla ar gyfer Dwysedd?
2) Cyfaint gwrthrych metel yw 45 cm³ a'i fàs yw 743g. Beth yw ei ddwysedd?
3) Cyfaint darn arall o'r un metel yw 36.5 cm³. Beth yw ei fàs?
4) Beth yw'r fformiwla ar gyfer buanedd, pellter ac amser?
5) Darganfyddwch faint o amser mae'n gymryd i berson sy'n cerdded ar fuanedd o 3.2 km/awr deithio 24 km. Darganfyddwch hefyd pa mor bell fydd y person hwn yn cerdded mewn 3 awr 30 munud.

Cyfeiriadau Cwmpawd a Chyfeiriannau

Wyth Pwynt y Cwmpawd

Gofalwch eich bod yn gwybod pob un o'r
8 CYFEIRIAD AR Y CWMPAWD.

Ar gyfer <u>cyfeiriadau</u> <u>eraill</u> (h.y. y rhai nad ydynt yn union i'r
Gogledd neu'r De neu'r De Ddwyrain, ayb) bydd raid i chi
ddefnyddio <u>CYFEIRIANNAU</u>.

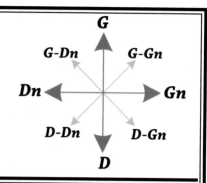

Cyfeiriannau

1) Cyfeiriant yw'r <u>CYFEIRIAD A DEITHIWYD</u>, <u>WEDI EI ROI AR</u>
   <u>FFURF ONGL</u>, mewn graddau.

2) Mae pob cyfeiriant yn cael ei fesur yn <u>GLOCWEDD</u> o
   <u>LINELL Y GOGLEDD</u>.

3) Rhoddir pob cyfeiriant fel 3 ffigur: e.e. 060° yn hytrach
   na 60°, 020° yn hytrach na 20°, ayb.

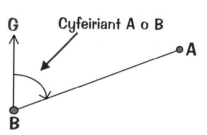

Y 3 Gair Allweddol

Dysgwch y rhain os ydych am gael eich cyfeiriannau'n <u>GYWIR</u>

1) "O"

<u>Darganfyddwch y gair "O" yn y</u>
<u>cwestiwn</u>, a rhowch eich pensil ar y
pwynt yr ydych yn mynd "<u>oddi wrtho</u>".

2) LLINELL Y GOGLEDD

Yn y pwynt yr ydych yn mynd "ODDI
WRTHO", tynnwch <u>LINELL Y GOGLEDD</u>.

3) CLOCWEDD

Nawr lluniwch yr ongl yn <u>GLOCWEDD</u> o <u>Linell</u>
<u>y Gogledd</u> i'r llinell sy'n cysylltu'r ddau bwynt.
Yr ongl hon yw'r <u>CYFEIRIANT</u>.

ENGHRAIFFT:

Darganfyddwch gyfeiriant Q o P:

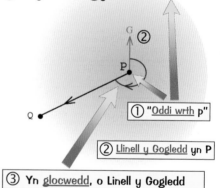

① "<u>Oddi wrth</u> p"

② <u>Llinell y Gogledd</u> yn P

③ Yn <u>glocwedd</u>, o Linell y Gogledd

Yr ongl hon yw <u>cyfeiriant Q o P</u>
ac mae'n <u>245°</u>.

Y Prawf Hollbwysig:

1) DYSGWCH <u>Wyth pwynt y Cwmpawd</u>, yna <u>cuddiwch y dudalen</u> a THYNNWCH LUN O'R
   CWMPAWD ETO.

2) DYSGWCH y 3 GAIR ALLWEDDOL ar gyfer <u>CYFEIRIANNAU</u>, yna <u>cuddiwch y dudalen</u> a'u
   <u>hysgrifennu</u>.

3) Rhowch 'smotyn' ar ddarn o bapur i gynrychioli eich cartref, yna tynnwch <u>ddwy linell</u>
   ohono, un yn mynd i <u>gyfeiriad y De Orllewin</u> a'r llall <u>ar gyfeiriant o 080°</u>.

Prawf Adolygu Adran Tri

YMA DISGWYLIR ICHI ddefnyddio'r holl ddulliau rydych chi wedi eu dysgu yn Adran Tri i ateb y cwestiynau hyn.

1) Mae bar yn 30 modfedd o hyd. Beth yw ei hyd mewn troedfeddi a modfeddi?

2) Dyma'r math o rifau a allai ymddangos ar sgrin eich cyfrifiannell:
   a) 1.2343534   b) 2.9999999   c) 15.534624   ch) 12.0833
   Talgrynnwch y rhain i'r rhif cyfan agosaf.

3) Talgrynnwch y rhifau hyn i 1 lle degol: a) 5.32   b) 3.46   c) 6.15

4) a) Rhowch 246 i'r 10 agosaf   b) Rhowch 860 i'r 100 agosaf

5) Sawl ffigur ystyrlon sydd gan y rhifau hyn?
   a) 12   b) 150   c) 2000   ch) 23.4   d) 8,500

6) Heb ddefnyddio eich cyfrifiannell, amcangyfrifwch yr ateb i: $\dfrac{390}{28 + 12.3}$

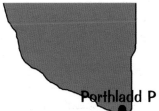

7) Amcangyfrifwch gyfaint llond mwg o de du mewn cm^3.

8) Beth yw Tri Cham y Dull Ffactor Trawsnewid?

9) Os yw'r Gyfradd Gyfnewid yn £1 = 3.2 Sfigled Andoraidd, defnyddiwch y dull ffactor trawsnewid i ddarganfod sawl £ yw 75 Sfigled. Hefyd darganfyddwch sawl Sfigled yw £25.

10) Sawl cm^3 sydd mewn 2.7 litr?

11) 1 milltir = 1.6 km. Sawl milltir yw 27 km? Rhowch hyn i'r filltir agosaf.

12) 1 dunnell fetrig = 1000 kg. Sawl kg yw 7.64 Tunnell Fetrig?

13) Faint o oriau a munudau sydd rhwng 9.45 am a 1.25 pm?

14) Beth yw 7.25 awr mewn oriau a munudau?

15) Lluniwch ddiagram yn dangos wyth pwynt y cwmpawd.

16) Mae llong yn gadael Porthladd P
    ar gyfeiriant o 160°.
    Dangoswch ei chyfeiriad
    ar y llun yma:

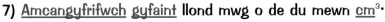

Porthladd P

17) Mae llong arall yn gadael ar gyfeiriant o 240°. Dangoswch ei chyfeiriad hi hefyd:

18) Mae Morgan y pysgodyn aur yn nofio 25 metr mewn 64 eiliad. Darganfyddwch ei fuanedd cyfartalog.

19) Mae gan Fflwffen Dew y gath fàs o 20 kg a dwysedd cyfartalog o 0.7 g/cm^3. Cyfrifwch ei chyfaint mewn cm^3 i 2 ffigur ystyrlon.

20) 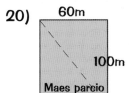 Gwnewch luniad wrth raddfa manwl gywir o'r maes parcio a ddangosir ar y chwith gan ddefnyddio graddfa o 1 cm i 5 m.

60m

100m

Maes parcio

Llinellau ac Onglau

Nid yw cyfrifo onglau yn anodd. Y cyfan sy'n rhaid i chi ei wneud yw eu dysgu!

1) Amcangyfrif Onglau

Y gyfrinach yma yw GWYBOD Y PEDAIR ONGL ARBENNIG HYN fel pwyntiau cyfeiriol. Yna gallwch GYMHARU unrhyw ongl arall â'r rhain.

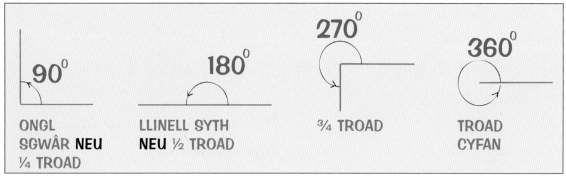

90^0
ONGL
SGWÂR NEU
¼ TROAD

180^0
LLINELL SYTH
NEU ½ TROAD

270^0
¾ TROAD

360^0
TROAD
CYFAN

Pan fo dwy linell yn cyfarfod ar 90°, dywedwn eu bod yn BERPENDICWLAR i'w gilydd.

Enghraifft: Amcangyfrifwch feintiau'r tair ongl hyn, A, B ac C:

Os cymharwch bob ongl â'r onglau cyfeiriol, sef 90°, 180° a 270°, gallwch amcangyfrif y canlynol yn hawdd:
A = 70°, B = 110°, C = 260°

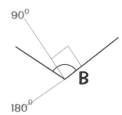
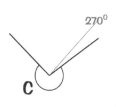

2) Nodiant Tair Llythyren ar gyfer Ongl

Y ffordd orau o ddangos pa ongl yr ydych yn cyfeirio ati mewn diagram yw trwy ddefnyddio TAIR llythyren.

Er enghraifft yn y diagram, ongl ACB = 25°.

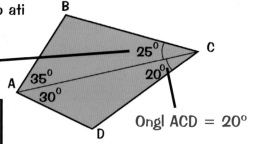

Ongl ACD = 20°

1) Y LLYTHYREN GANOL yw pig yr ongl.
2) Mae'r DDWY LYTHYREN ARALL yn dweud wrthych PA DDWY LINELL sy'n cynnwys yr ongl.

Y Prawf Hollbwysig: DYSGWCH y pedair prif ongl gyfeiriol.

1) Amcangyfrifwch feintiau'r onglau hyn:

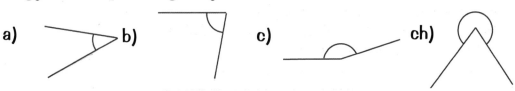

a)   b)   c)   ch)

Mesur Onglau ag Onglydd

Y <u>2 gamgymeriad mawr</u> y mae pobl yn eu gwneud gydag ONGLYDD yw:

> 1) <u>Peidio â rhoi'r llinell 0° ar y man cychwyn</u>
> 2) <u>Darllen o'r RADDFA ANGHYWIR.</u>

Dwy Reol *ar gyfer gwneud y gwaith yn gywir!*

1) Cofiwch osod yr onglydd <u>BOB AMSER</u> gyda'r <u>ymyl waelod</u> ar hyd un o freichiau'r ongl, fel y dangosir yma:

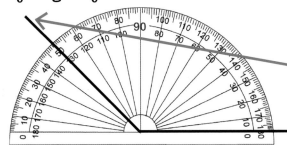

Cyfrwch fesul 10° o'r <u>llinell gychwyn</u> yr holl ffordd o amgylch at <u>fraich arall</u> yr ongl yn y fan acw.

← Llinell Gychwyn

2) <u>CYFRWCH YR ONGL FESUL 10°</u>
o'r llinell gychwyn hyd at fraich arall yr ongl.

> *<u>PEIDIWCH Â DARLLEN RHIF YN SYTH O'R RADDFA</u> — mae'n debyg y byddwch yn dewis <u>YR UN ANGHYWIR</u> oherwydd mae <u>DWY raddfa i ddewis rhyngddynt</u>*
>
> *Yma yr ateb yw 130° — AC NID 50°! — Yr unig ffordd o gael hyn yn gywir yw cyfrif 10°, 20°, 30°, 40°, ayb o'r llinell gychwyn hyd nes y byddwch yn cyrraedd braich arall yr ongl. Dylech hefyd <u>amcangyfrif</u> yr ongl er mwyn gwirio.*

Ongl Lem
<u>ONGL BIGFAIN</u>
(llai na 90°)

Ongl Aflem
<u>ONGL MWY AGORED</u>
(rhwng 90° a 180°)

Ongl Atblyg
<u>ONGL SY'N PLYGU'N ÔL ARNI EU HUN</u>
(mwy na 180°)

Ongl Sgwâr
<u>CORNEL SGWÂR</u>
(union 90°)

Y Prawf Hollbwysig:

1) DYSGWCH y 2 reol ar gyfer defnyddio onglydd.
2) DYSGWCH beth yw ONGL LEM, AFLEM, ATBLYG a SGWÂR.
   Lluniwch enghraifft o bob un.
3) Defnyddiwch onglydd i lunio'r onglau hyn yn fanwl gywir: a) 35° b) 150° c) 80°

Chwe Rheol Onglau

6 Rheol Syml:

Dysgwch BOB UN yn DRYLWYR a bydd gennych obaith o ddatrys problemau gyda llinellau ac onglau.

1) Onglau mewn triongl

Maen nhw'n adio i 180°

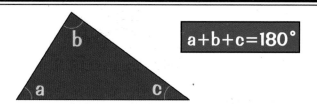

$$a+b+c=180°$$

2) Onglau ar linell syth

Maen nhw'n adio i 180°

$$a+b+c=180°$$

3) Onglau mewn siâp 4-ochr

("Pedrochr")

Maen nhw'n adio i 360°

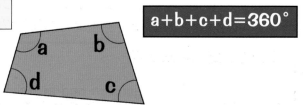

$$a+b+c+d=360°$$

4) Onglau o gwmpas pwynt

Maen nhw'n adio i 360°.

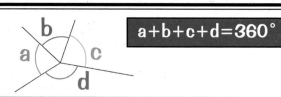

$$a+b+c+d=360°$$

5) Ongl Allanol Triongl

Ongl Allanol triongl
= cyfanswm yr Onglau Mewnol cyferbyn

h.y.   a+b=d

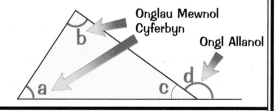

Onglau Mewnol Cyferbyn

Ongl Allanol

6) Trionglau isosgeles

2 ochr yr un faint
2 ongl yr un faint

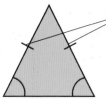

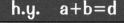

Mae'r marciau hyn yn dangos dwy ochr o'r un hyd

Mewn triongl isosgeles, DIM OND UN ONGL SYDD ANGEN I CHI EI GWYBOD er mwyn darganfod y ddwy arall. COFIWCH HYN, a gallai fod yn ddefnyddiol iawn.

a)

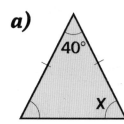

180° – 40° = 140°
Mae'r ddwy ongl waelod yr un faint. Mae'n rhaid eu bod yn adio i 140°, felly mae'n rhaid bod pob un yn hanner 140° (= 70°). Felly X = 70°

b)

Mae'n rhaid bod y ddwy ongl waelod yr un faint, felly 50° + 50° = 100°. Mae'r onglau i gyd yn adio i 180°. Felly Y = 180° - 100° = 80°.

Llinellau Paralel

Pan fo un llinell yn croesi <u>2 linell baralel</u>, yna bydd y <u>ddau grŵp o onglau</u> yn <u>hafal</u>, fel y dangosir isod:

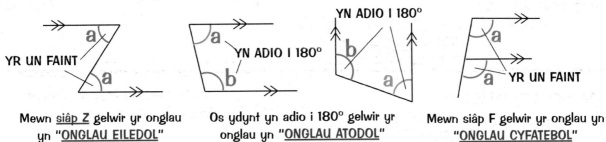

(Mae'r saethau'n golygu bod y ddwy linell yn baralel)

Pan fo gennych <u>DDWY LINELL BARALEL</u> ...

1) <u>dim ond dwy ongl wahanol</u> sydd:

<u>UN FACH</u> ac <u>UN FAWR</u>

2) ac maen nhw <u>BOB AMSER YN ADIO I 180°</u>.

E.e. 30° a 150°   neu   70° a 110°

Un o'r pethau mwyaf anodd ynglŷn â llinellau paralel yw
<u>DOD O HYD IDDYNT YN Y LLE CYNTAF</u>

— chwiliwch am siapiau "Z", "C", "U" ac "F".
Yna gallwch fod yn sicr fod gennych bâr o linellau paralel.

YR UN FAINT — Mewn <u>siâp Z</u> gelwir yr onglau yn "<u>ONGLAU EILEDOL</u>"

YN ADIO I 180° — Os ydynt yn adio i 180° gelwir yr onglau yn "<u>ONGLAU ATODOL</u>"

YR UN FAINT — Mewn siâp F gelwir yr onglau yn "<u>ONGLAU CYFATEBOL</u>"

Mae'n rhaid i chi ddysgu'r enwau gwirion hyn hefyd!

Y Prawf Hollbwysig:

Mae'r diagram hwn yn dangos un ongl sy'n 60°.
Darganfyddwch bob un o'r 7 ongl arall.

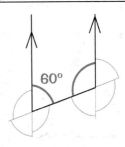

Y Pedwar Trawsffurfiad

C ylchdro — TRI manylyn
A dlewyrchiad — UN manylyn
T rawsfudiad — UN manylyn
H elaethiad — DAU fanylyn

1) Defnyddiwch y gair CATH i gofio'r 4 math.

2) Rhaid i chi roi'r <u>manylion i gyd</u> bob tro ar gyfer pob math.

1) CYLCHDRO

Mae'n rhaid i chi roi'r <u>3 manylyn</u> <u>hyn</u>:
1) <u>ONGL</u> y troad
2) <u>CYFEIRIAD</u> (Clocwedd neu Wrthglocwedd)
3) <u>CANOL</u> y Cylchdro

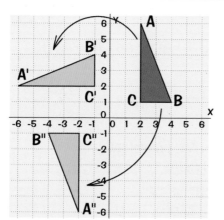

Mae ABC i A'B'C' yn Gylchdro o <u>90°</u>, <u>gwrthglocwedd O GWMPAS y tardd</u>.

Mae ABC i A"B"C" yn Gylchdro o <u>hanner troad (180°)</u>, <u>clocwedd O GWMPAS y tardd</u>.

Yn achos hanner troadau, nid yw'n bwysig mewn gwirionedd i ba gyfeiriad rydych chi'n troi: clocwedd neu gwrthglocwedd.

Yr unig bethau sy'n newid mewn cylchdro yw SAFLE a GOGWYDDIAD y gwrthrych. *Mae <u>popeth arall</u> <u>yn aros yr un fath</u>.*

2) ADLEWYRCHIAD

Mae'n rhaid i chi roi'r <u>UN manylyn hwn</u>: 1) <u>Y LLINELL DDRYCH</u>

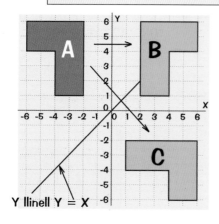

Y llinell Y = X

<u>Adlewyrchiad yn yr echelin Y yw A i B.</u>

<u>Adlewyrchiad yn y llinell Y = X yw A i C.</u>

Mewn adlewyrchiad, SAFLE a GOGWYDDIAD y gwrthrych yw'r <u>unig bethau sy'n newid</u>.

Y Pedwar Trawsffurfiad

3) TRAWSFUDIAD

LLITHRIAD yw trawsfudiad. Mae'n rhaid i chi ddynodi faint ar draws a faint i fyny yw'r trawsfudiad.

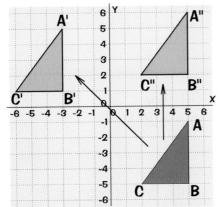

Mae ABC i A'B'C' yn drawsfudiad o 8 i'r chwith a 6 i fyny.

Mae ABC i A"B"C" yn drawsfudiad o 7 i fyny.

Gallwch ddisgrifio trawsfudiadau gyda fectorau, sydd yn edrych yn debyg i hyn. x yw nifer y bylchau i'r dde, y yw nifer y bylchau i fyny.

Dyma'r trawsfudiadau a ddangosir yn y diagram ar ffurf fectorau: $\begin{pmatrix} -8 \\ 6 \end{pmatrix}$ a $\begin{pmatrix} 0 \\ 7 \end{pmatrix}$

4) HELAETHIAD

Mae'n rhaid i chi roi'r 2 fanylyn hyn:
1) Y FFACTOR GRADDFA
2) CANOL yr Helaethiad

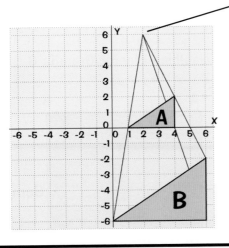

Helaethiad o ffactor graddfa 2, a chanol (2,6) yw'r helaethiad A i B.

D.S. Mae'r hydoedd yn dyblu a'r pellteroedd o'r canol yn dyblu hefyd.

Gyda helaethiad, mae ONGLAU'r gwrthrych yn aros yr un fath. Mae CYMAREBAU hydoedd yr ochrau, a GOGWYDDIAD y gwrthrych yn aros yr un fath. Mae'r maint a'r lleoliad yn newid.

Y Prawf Hollbwysig:

DYSGWCH enwau'r Pedwar Trawsffurfiad a'r manylion am bob un ohonynt. Pan fyddwch yn meddwl eich bod yn eu gwybod, cuddiwch y dudalen a'u hysgrifennu.

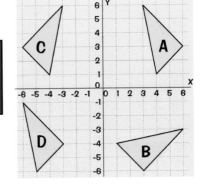

Rhowch ddisgrifiad llawn o'r 4 trawsffurfiad hyn:
A → B,   B → C,   C → A,   A → D

Helaethiadau

1) Os yw'r Ffactor Graddfa yn <u>FWY NAG 1</u> yna mae'r siâp yn mynd yn <u>FWY</u>:

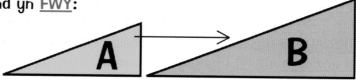

Mae A i B yn Helaethiad, Ffactor Graddfa 1½

2) Os yw'r Ffactor Graddfa yn <u>LLAI NAG 1</u> (h.y. ffracsiwn fel ½), yna mae'r <u>siâp yn mynd yn LLAI</u>.

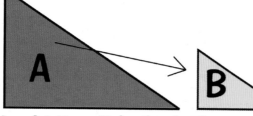

(Lleihad yw hyn mewn gwirionedd, ond er hynny gellir ei alw'n Helaethiad Ffactor Graddfa ½)

Mae A i B yn Helaethiad, Ffactor Graddfa ½

3) Mae'r <u>Ffactor Graddfa</u> hefyd yn rhoi <u>PELLTER CYMHAROL</u> hen bwyntiau a phwyntiau newydd <u>o Ganol yr Helaethiad</u>.

Mae hyn yn ddefnyddiol iawn wrth lunio helaethiad, oherwydd gallwch ei ddefnyddio i <u>nodi safleoedd y pwyntiau newydd</u> o ganol yr helaethiad, fel y dangosir yn y diagram.

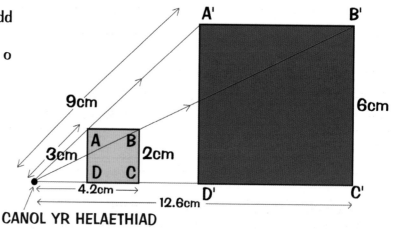

Helaethiad Ffactor Graddfa 3

CANOL YR HELAETHIAD

Y Prawf Hollbwysig: <u>DYSGWCH bopeth ar y dudalen hon.</u>

Yna, <u>pan fyddwch yn meddwl eich bod yn eu gwybod</u>, cuddiwch y dudalen a'u <u>hysgrifennu oddi ar eich cof</u>, gan gynnwys y brasluniau a'r enghreifftiau. Daliwch ati nes byddwch yn llwyddo.

Helaethiadau

Defnyddio'r Triongl Fformiwla i wneud Cyfrifiadau

Mae hydoedd y siâp mawr a'r siâp bach yn gysylltiedig â'r Ffactor Graddfa trwy'r Triongl Fformiwla hynod o bwysig hwn y bydd yn rhaid i chi ei ddysgu:

<u>ENGHRAIFFT</u>: Darganfyddwch y lled sydd ar goll, x, yn y diagram.

Gweler trionglau fformiwla ar dud. 48

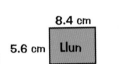

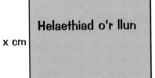

Er mwyn darganfod lled y llun sydd wedi ei helaethu <u>defnyddiwch y triongl fformiwla DDWYWAITH</u>, (yn gyntaf i ddarganfod y <u>Ffactor Graddfa</u>, ac yna i ddarganfod yr <u>ochr anhysbys</u>):

> 1) <u>Ffactor Graddfa</u> = Hyd newydd ÷ Hen hyd = 14.7 ÷ 8.4 = <u>1.75</u>
> 2) <u>Lled newydd</u> = Ffactor Graddfa × Hen led = 1.75 × 5.6 = <u>9.8cm</u>

<u>BYDDECH YN HOLLOL AR GOLL HEB Y TRIONGL FFORMIWLA!</u>

Sylwer – gallwch ddefnyddio'r triongl fformiwla i ddarganfod <u>perimedrau</u> yn union yr un modd â hydoedd. E.e. sgwâr ag ochr yn mesur 1 cm yn cael ei helaethu yn ôl ffactor graddfa o 2.
Perimedr newydd = ffactor graddfa × hen berimedr = 2 × 4 = 8 cm.

Arwynebeddau a Chyfeintiau Helaethiadau

Mae'r gwaith hwn yn llawn o beryglon. Mae'r cynnydd mewn arwynebedd a chyfaint yn <u>FWY</u> na'r ffactor graddfa.
    Er enghraifft, os yw'r <u>Ffactor Graddfa yn 2</u>, mae'r hydoedd <u>ddwywaith cymaint</u>, mae pob arwynebedd <u>4 gwaith cymaint</u>, ac mae'r cyfaint <u>8 gwaith cymaint</u>. Dyma'r rheol:

 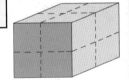

> <u>Yn achos Ffactor Graddfa n</u>:
> Mae'r <u>OCHRAU</u> n gwaith yn fwy
> Mae'r <u>ARWYNEBEDDAU</u> n^2 gwaith yn fwy
> Mae'r <u>CYFEINTIAU</u> n^3 gwaith yn fwy   Syml ... ond <u>DIGON HAWDD EI ANGHOFIO</u>!

<u>ENGHRAIFFT</u>: Mae dwy botel o ddŵr yn gyflun. Uchder y ddwy botel yw 20 cm a 30 cm. Os yw cyfaint y botel fechan yn 2 litr, darganfyddwch gyfaint y botel fawr.

<u>ATEB</u>: 1) <u>Ffactor Graddfa n</u> = Uchder newydd ÷ Hen uchder = 30 ÷ 20 = <u>1.5</u>
      2) <u>Cyfaint newydd</u> = Hen gyfaint × (Ffactor Graddfa)³ = 2 × 1.5³ = <u>6.75 litr</u>

Y Prawf Hollbwysig:
<u>DYSGWCH Driongl Fformiwla Helaethiad a'r rheolau ar gyfer helaethiadau Arwynebedd a Chyfaint</u>. Yna <u>cuddiwch y dudalen ac ysgrifennwch bopeth</u>.

1) Mae gan ddau driongl cyflun uchder o 5cm a 45cm yn eu trefn.
    Mae gan y triongl lleiaf arwynebedd o 30cm². Darganfyddwch arwynebedd y triongl mwyaf.
2) Mae diamedr sail dau gôn cyflun yn 20cm a 50cm.
    Os yw cyfaint y côn lleiaf yn 120cm³, darganfyddwch gyfaint y llall.

Cyfuniadau o Drawsffurfiadau

Mewn cwestiynau arholiad byddant yn aml yn gwneud rhywbeth <u>dychrynllyd</u> fel gosod dau drawsffurfiad gyda'i gilydd a gofyn i chi pa un trawsffurfiad sy'n symud siâp A i siâp B. Byddwch yn <u>barod am hyn</u>!

Po orau *y byddwch yn eu gwybod i gyd* – *yr hawsaf* **fydd hi!**

Nid yw'r mathau hyn o gwestiynau mor ddrwg â hynny — <u>CYHYD Â'CH BOD</u> wedi <u>DYSGU</u>'r <u>pedwar trawsffurfiad</u> ar dudalennau 56 a 57 yn <u>wirioneddol dda</u> — os na fyddwch yn eu gwybod byddwch yn sicr o gael trafferth i weld <u>cyfuniad</u> ohonynt. Yn sylfaenol, y dull yw "<u>Rhowch gynnig ar ... er mwyn gweld</u>"

Enghraifft

"Pa gyfuniad o ddau drawsffurfiad sy'n mynd â chi o driongl A i driongl B?"

(Fel arfer mae mwy nag un ffordd o fynd o un siâp i un arall — ond cofiwch dim ond <u>UN</u> ohonynt sy'n rhaid i chi ei ddarganfod).

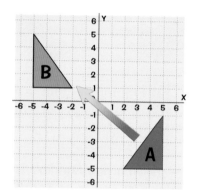

Dull: *Rhowch gynnig* **ar** *drawsffurfiad amlwg* **yn gyntaf, er mwyn** *gweld* ...

Os ydych yn <u>meddwl</u> am y peth, <u>dim ond</u> cyfuniad o ddau o'r <u>pedwar math</u> a ddangosir ar dudalennau 56 a 57 all roi'r ateb, felly gallwch ddechrau <u>cyfyngu</u> pethau'n syth:

1) Gan fod y siapiau <u>o'r un maint</u> gallwn <u>anwybyddu helaethiadau</u>.
2) Yna, <u>rhowch gynnig ar adlewyrchiad</u> (un ai yn echelin x neu yn echelin y). Yma rydym wedi rhoi cynnig ar adlewyrchiad yn <u>echelin y</u>, i roi siâp A':
3) Nawr, dylech allu gweld y <u>cam olaf</u> o A' i B yn rhwydd

— mae'n <u>drawsfudiad</u> o $\begin{pmatrix} 0 \\ 6 \end{pmatrix}$

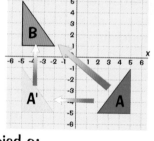

A dyna ni, <u>MAE'R GWAITH WEDI EI WNEUD</u> — mae o A i B yn gyfuniad o:

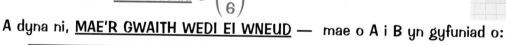

<u>Adlewyrchiad yn echelin y</u> wedi ei ddilyn gan <u>drawsfudiad o</u> $\begin{pmatrix} 0 \\ 6 \end{pmatrix}$

O leiaf, mae hynny'n <u>un ateb</u> beth bynnag. Ar y llaw arall, pe byddem yn penderfynu ei adlewyrchu yn <u>echelin x</u> yn gyntaf (fel sy'n cael ei ddangos yma) byddem yn cael ateb arall (gweler Prawf Hollbwysig isod) — ond mae'r ddau yn gywir.

Y Prawf Hollbwysig: <u>DYSGWCH</u> y <u>prif bwyntiau</u> ar y dudalen hon. Yna <u>cuddiwch y dudalen</u> ac <u>ysgrifennwch bopeth</u>.

1) Pa bâr o drawsffurfiadau fydd yn trawsffurfio siâp C yn siâp D?:
   Pa bâr fydd yn trawsffurfio siâp D yn siâp C?
2) Yn yr enghraifft uchod, darganfyddwch y trawsffurfiad arall sydd ei angen i gyrraedd siâp B ar ôl adlewyrchu siâp A yn echelin X.

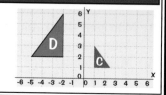

Lluniadu Trionglau

Mae '<u>lluniadu</u>' yn golygu '<u>tynnu llun manwl gywir</u>' gan ddefnyddio <u>pensil</u>, <u>pren mesur</u> a <u>chwmpas</u>.

Os gofynnir ichi <u>luniadu triongl</u> ac os dywedir wrthych beth yw <u>hyd y tair ochr</u>, dyma'r hyn sydd angen ichi ei wneud.

1) Llunio braslun a labelu hydoedd yr ochrau.
2) Llunio'r llinell sail gan ddefnyddio pren mesur.
3) Llunio dwy arc, un o bob pen i'r llinell sail, gan agor eich cwmpas i hydoedd yr ochrau.
4) Tynnu llinellau o ddau ben y llinell sail i'r pwynt lle mae'r ddwy arc yn croesi.

Enghraifft:

Lluniadwch driongl ABC lle mae AB = 6 cm, BC = 4 cm, AC = 5 cm.

ATEB:

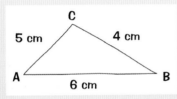

1) Lluniwch fraslun o'r triongl. Labelwch gorneli A, B ac C. Labelwch yr hydoedd (mae AB yn golygu'r ochr sy'n mynd o A i B).

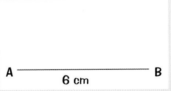

2) Dewiswch ochr ar gyfer y llinell sail — dim ots pa un. Yma rydym yn dewis AB. Tynnwch linell 6 cm o hyd. Labelwch ddau ben y llinell yn A a B.

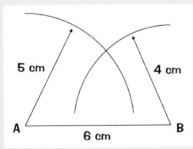

3) Ar gyfer AC, agorwch y cwmpas i 5 cm a rhowch y pwynt yn A a lluniwch arc. Ar gyfer BC, agorwch y cwmpas i 4 cm a rhowch y pwynt yn B a lluniwch arc.

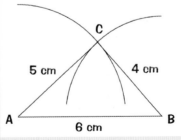

4) Y pwynt lle mae'r ddwy arc yn croesi yw pwynt C. Tynnwch linell o A i C a llinell arall o B i C i gwblhau eich triongl.

Y Prawf Hollbwysig:

1) Lluniadwch driongl hafalochrog, ochrau 5 cm.

2) Lluniadwch driongl, ochrau 3 cm, 4 cm a 5 cm.
   Gwiriwch eich lluniad drwy fesur yr ochrau.

Locysau a Lluniadau

Yn syml <u>LOCWS</u> (gair gwirion arall) yw:

LLINELL sy'n dangos <u>yr holl bwyntiau sy'n bodloni rheol benodol</u>

Gofalwch eich bod yn <u>dysgu</u> sut i lunio'r rhain yn <u>GYWIR</u> gan ddefnyddio <u>PREN MESUR A CHWMPAS</u>, fel sy'n cael ei ddangos yma.

---

1)

Locws pwyntiau sydd
"BELLTER PENODOL o BWYNT penodol"

<u>CYLCH</u> yw'r locws hwn.

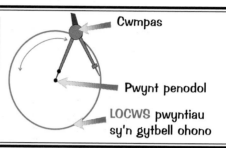

Cwmpas

Pwynt penodol

LOCWS pwyntiau sy'n gytbell ohono

---

2)

Locws pwyntiau sydd
"BELLTER PENODOL o LINELL benodol"

Mae <u>SIÂP HIRGRWN ar y locws hwn</u>.

Mae ganddo <u>ochrau syth</u> (wedi eu llunio â <u>phren mesur</u>) ac mae ei <u>ddau ben</u> yn <u>hanner cylch perffaith</u> (wedi eu llunio â <u>chwmpas</u>).

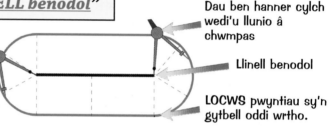

Dau ben hanner cylch wedi'u llunio â chwmpas

Llinell benodol

LOCWS pwyntiau sy'n gytbell oddi wrtho.

---

3)

Locws pwyntiau sydd
"yn GYTBELL o DDWY LINELL BENODOL"

1) PEIDIWCH Â NEWID ongl y cwmpas wrth wneud y <u>pedwar marc</u>.

2) Gofalwch bob amser fod marciau'r cwmpas yn <u>glir</u>.

3) Rydych yn cael <u>dwy ongl hafal</u> — h.y. mae'r <u>LOCWS</u> hwn yn <u>HANERU'R ONGL</u>.

Mae 'cytbell' yn golygu 'yr un pellter o'

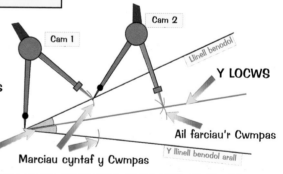

Cam 2

Cam 1

Llinell benodol

Y LOCWS

Ail farciau'r Cwmpas

Y llinell benodol arall

Marciau cyntaf y Cwmpas

---

4)

Locws pwyntiau sydd
"yn GYTBELL o DDAU BWYNT PENODOL"

(Yn y diagram isod, A a B yw'r ddau bwynt penodol)

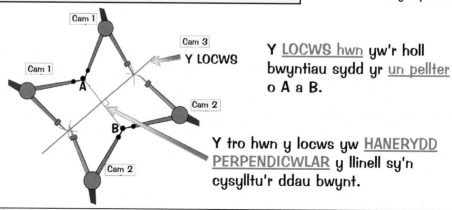

Cam 1
Cam 3
Y LOCWS
Cam 1
A
Cam 2
B
Cam 2

Y <u>LOCWS</u> hwn yw'r holl bwyntiau sydd yr <u>un pellter</u> o A a B.

Y tro hwn y locws yw <u>HANERYDD PERPENDICWLAR</u> y llinell sy'n cysylltu'r ddau bwynt.

ADRAN PEDWAR – ONGLAU A GEOMETREG

Locysau a Lluniadau

Llunio onglau 60° manwl gywir

1) Mae'n ddigon posibl y byddwch yn cael cwestiwn yn yr arholiad lle gofynnir i chi lunio ongl 60° yn fanwl gywir.

2) Mae'r onglau hyn yn angenrheidiol wrth lunio triongl hafalochrog.

3) Gofalwch eich bod yn dilyn y dull a ddangosir yn y diagram hwn, a'ch bod yn gallu ei lunio yn gyfan gwbl oddi ar eich cof

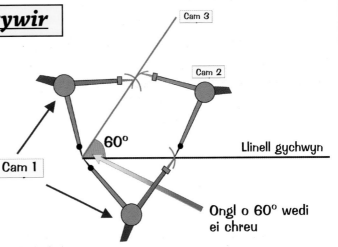

Llunio onglau 90° manwl gywir

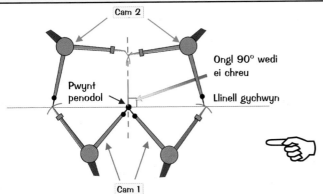

1) Gallent ofyn i chi lunio ongl o 90° yn fanwl gywir.

2) Ni fydd ongl wedi ei llunio "â'r llygad" yn unig neu â phren mesur yn dderbyniol. Os ydych eisiau ennill y marciau, mae'n rhaid i chi wneud hyn yn y ffordd gywir gan ddefnyddio cwmpas, fel yr ydym wedi ei ddangos i chi yn y diagram hwn.

3) Gofalwch eich bod yn gallu dilyn y camau a ddangosir yn y diagram hwn.

Llunio'r Perpendicwlar o Bwynt i Linell

1) Mae hyn yn debyg i'r uchod ond nid yw'n union yr un fath — gofalwch eich bod yn gallu gwneud y ddau.

2) Unwaith eto, ni fydd gwneud y gwaith "â'r llygad" yn unig neu â phren mesur yn dderbyniol — mae'n rhaid i chi wneud hyn yn y ffordd gywir gan ddefnyddio cwmpas.

3) Dysgwch y diagram.

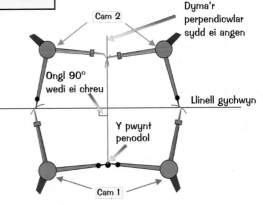

Y Prawf Hollbwysig: DYSGWCH BOPETH AR Y DDWY DUDALEN HYN

Nawr cuddiwch nhw a lluniwch enghraifft o bob un o'r pedwar locws.
Lluniwch hefyd driongl hafalochrog a sgwâr, gan ofalu bod onglau 60° a 90° y naill a'r llall yn fanwl gywir.
Yna, tynnwch linell a gwnewch bwynt a lluniwch y perpendicwlar o'r pwynt at y llinell.

ADRAN PEDWAR – ONGLAU A GEOMETREG

64

Theorem Pythagoras

Mae THEOREM PYTHAGORAS yn fformiwla fach ddefnyddiol ar gyfer TRIONGLAU ONGL SGWÂR. Mae'n caniatáu ichi ddarganfod hyd y drydedd ochr pan fyddwch yn gwybod dwy ohonynt.

Y fformiwla ar gyfer theorem Pythagoras yw: $a^2 + b^2 = h^2$

Yma, a a b yw'r ochrau byr ac h yw ochr hiraf y triongl (a elwir yn hypotenws)

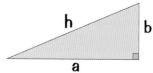

Cofiwch — dim ond gyda THRIONGLAU ONGL SGWÂR y gellir defnyddio theorem Pythagoras.

Y broblem yw, gall y fformiwla fod yn eithaf anodd i'w defnyddio.
Felly, byddai'n llawer gwell cofio'r tri cham syml hyn, sy'n gweithio bob tro:

1) Sgwario
SGWARIWCH Y DDAU RIF a roddir,
(defnyddiwch y botwm x^2 os ydych yn defnyddio'ch cyfrifiannell.

2) Adio neu Dynnu
Er mwyn darganfod yr ochr hiraf, ADIWCH y ddau rif sgwâr. Er mwyn darganfod un o'r ochrau byr, TYNNWCH y lleiaf o'r mwyaf.

3) Ail Isradd
Ar ôl adio neu dynnu, darganfyddwch AIL ISRADD yr ateb.
(defnyddiwch y botwm $\sqrt{\ }$ ar eich cyfrifiannell)

ENGHRAIFFT 1: "Darganfyddwch yr ochr sydd ar goll yn y triongl a ddangosir."

❶ Sgwario: $5^2 = 25$, $3^2 = 9$
❷ Rydym eisiau darganfod hyd un o'r ochrau byr, felly TYNNU: 25 – 9 = 16
❸ Ail isradd: $\sqrt{16} = 4$
Felly yr ochr anhysbys = 4 m

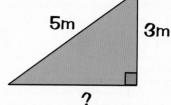

(Dylech ofyn y cwestiwn canlynol bob amser: "A yw hwn yn ateb synhwyrol?" — yn yr achos hwn gallwch ddweud "YDY", gan ei fod yn llai na 5 m, fel y dylai fod gan mai 5 m yw'r ochr hiraf')

ENGHRAIFFT 2: "Darganfyddwch hyd y segment llinell a ddangosir"

❶ Cyfrifwch pa mor bell ar draws ac i fyny yw hi o A i B
❷ Cofiwch drin hyn yn union fel triongl cyffredin ...
❸ Sgwariwch: $3^2 = 9$, $4^2 = 16$
❹ Rydych chi eisiau darganfod yr ochr hiraf (yr hypotenws), felly ADIO: 9 + 16 = 25.
❺ Ail isradd: $\sqrt{25} = 5$
Felly hyd y segment llinell = 5 uned

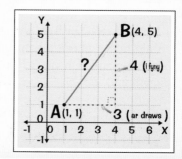

Y Prawf Hollbwysig: DYSGWCH 3 cham y dull Pythagoras.

Nawr cuddiwch y dudalen ac ysgrifennwch yr hyn rydych wedi ei ddysgu.

1) Yna defnyddiwch y dull uchod i ddarganfod hyd ochr BC:
2) Mae ochrau triongl arall yn mesur 5 m, 12 m ac 13 m.
   A yw hwn yn driongl ongl sgwâr? Sut ydych chi'n gwybod hynny?

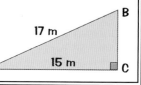

ADRAN PEDWAR – ONGLAU A GEOMETREG

Prawf Adolygu Adran Pedwar

YMA DISGWYLIR ICHI ddefnyddio'r holl ddulliau rydych chi wedi eu dysgu yn Adran Pedwar i ateb y cwestiynau hyn.

1) Lluniwch y <u>pedair ongl arbennig</u> hyn:
   - a) 90°
   - b) 180°
   - c) 270°
   - ch) 360°

2) <u>Amcangyfrifwch</u> yr onglau hyn ac yna <u>mesurwch</u> hwy, a gofalwch fod eich dau ateb yn debyg ar gyfer pob ongl.

a)   b)   c) 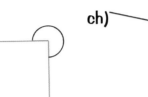   ch)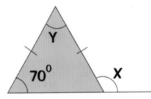

3) Cyfrifwch <u>onglau X ac Y</u> yn y diagram:

4) Yn y diagram isod, cyfrifwch <u>onglau</u> BDE, AED a BDC.

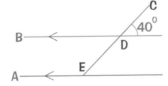

5) Pa <u>drawsffurfiad</u> sy'n mapio
   - a) siâp A ar siâp B
   - b) siâp C ar siâp D?

6) Darganfyddwch hyd Y.

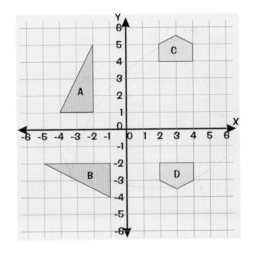

7) Lluniwch driongl ABC, gydag ochrau AB = 9 cm, AC = 10 cm a BC = 8.5 cm.

8) Beth yw locws? Disgrifiwch yn fanwl beth yw'r pedwar math y dylech eu gwybod. Hefyd, lluniwch ongl 60° ac ongl 90° gan ddefnyddio'r dulliau cywir.

9) Defnyddiwch <u>ddull Pythagoras</u> i gyfrifo'r hydoedd sydd ar goll (i 1 lle degol) yn y trionglau hyn:

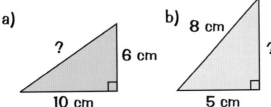

ADRAN PEDWAR – ONGLAU A GEOMETREG

Tebygolrwydd

I'r rhan fwyaf o bobl mae hwn yn swnio'n faes digon dyrys. Nid yw mor ddrwg â hynny ond mae'n <u>RHAID ICHI DDYSGU'R FFEITHIAU SYLFAENOL</u> sydd ar y 3 tudalen hyn.

1) *Mae pob tebygolrwydd rhwng 0 ac 1*

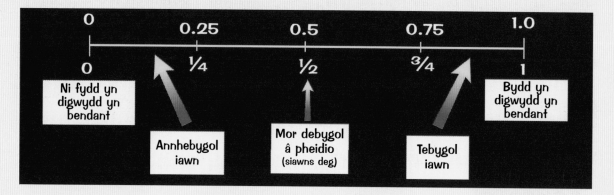

Dim ond gwerthoedd <u>rhwng 0 ac 1</u> (gan gynnwys y gwerthoedd hynny) sydd gan debygolrwyddau. Dylech allu rhoi'r tebygolrwydd y bydd unrhyw ddigwyddiad yn digwydd ar y raddfa hon o 0 i 1.

Cofiwch, gallwch fynegi tebygolrwyddau gan ddefnyddio naill ai <u>FFRACSIYNAU</u>, <u>DEGOLION</u> neu <u>GANRANNAU</u>.

Tebygolrwyddau Hafal

Pan fo gan wahanol ganlyniadau yr un siawns o ddigwydd, yna bydd y tebygolrwyddau yn <u>HAFAL</u>. Dyma'r ddau achos a geir yn yr Arholiad fel arfer:

1) <u>TAFLU DARN ARIAN</u>:

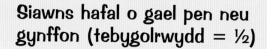

Siawns hafal o gael pen neu gynffon (tebygolrwydd = ½)

2) <u>TAFLU DIS</u>:

Siawns hafal o gael unrhyw un o'r rhifau (tebygolrwydd = ¹⁄₆)

Tebygolrwydd

Tebygolrwyddau *Anhafal*

Mae'r rhain yn llawer mwy diddorol (sy'n golygu y cewch gwestiynau arnynt yn yr Arholiad).

ENGHRAIFFT 1: "Mae bag yn cynnwys 6 phêl las, 5 pêl goch a 9 pêl werdd. Darganfyddwch y tebygolrwydd o ddewis pêl werdd."

ATEB: Mae'r tebygolrwydd o ddewis y tri lliw yn ANHAFAL.
Y tebygolrwydd o ddewis pêl werdd yw:

$$\frac{\text{NIFER Y PELI GWYRDD}}{\text{CYFANSWM NIFER Y PELI}} = \frac{9}{20}$$

ENGHRAIFFT 2: "Beth yw'r tebygolrwydd o ennill £45 ar y troellwr hwn?"

ATEB:
Mae gan y pwyntydd yr un siawns o stopio ar bob un sector ...
... a chan fod 2 allan o 8 sy'n £45 yna mae'r siawns o gael £45 yn 2 allan o 8.

OND COFIWCH ... rhaid i chi ddangos hyn fel FFRACSIWN neu DDEGOLYN neu GANRAN:

2 allan o 8 yw 2 ÷ 8 sef 0.25 (fel degolyn)
neu ¼ (fel ffracsiwn) neu 25% (fel canran)

Y Tebygolrwydd y bydd y *GWRTHWYNEB* yn digwydd *yw gweddill* y tebygolrwydd

Mae hyn yn ddigon syml CYN BELLED Â'CH BOD YN EI GOFIO.
Os yw'r tebygolrwydd y bydd rhywbeth yn digwydd yn 0.3 er enghraifft, yna'r siawns NA FYDD YN DIGWYDD yw 1 - 0.3 (=0.7), h.y. yr hyn sy'n weddill pan ydych yn ei dynnu o 1.

Enghraifft: Mae gan ddis â thuedd siawns o 0.25 o ddangos DAU.
Beth yw'r siawns na fydd yn dangos DAU?

Ateb: 1 – 0.25 = 0.75
Felly, y siawns na fydd y dis yn dangos DAU yw 0.75

Rhestru'r *Holl Ganlyniadau: 2 ddarn arian, dis, troellwyr*

Cwestiwn posibl yn yr arholiad fydd gofyn ichi restru holl ganlyniadau posibl taflu dau ddarn arian, troelli dau droellwr neu daflu dis a throelli troellwr, ayb. Beth bynnag fydd y cwestiwn, mae'n sicr o fod yn debyg i'r rhain, felly DYSGWCH NHW:

Canlyniadau posibl TAFLU DAU DDARN ARIAN yw:		
Pen	Pen	P P
Pen	Cynffon	P C
Cynffon	Pen	C P
Cynffon	Cynffon	C C

DAU DROELLWR â 3 ochr:

GLAS, 1	COCH, 1	GWYRDD, 1
GLAS, 2	COCH, 2	GWYRDD, 2
GLAS, 3	COCH, 3	GWYRDD, 3

Ceisiwch restru'r canlyniadau posibl yn DREFNUS
– i sicrhau eich bod yn eu cynnwys I GYD.

Amlder Cymharol

Ffordd o gyfrifo tebygolrwyddau yw amlder cymharol.

Teg ynteu Tueddol?

Mae'r tebygolrwydd o daflu tri ar ddis yn $^1/_6$ — rydych yn gwybod bod pob un o'r 6 rhif ar ddis yr un mor debygol o gael ei daflu, a dim ond 1 rhif tri sydd arno.

OND dim ond os bydd y dis yn un teg y bydd hyn yn gweithio. Os yw'r dis ychydig yn amheus (yr enw technegol yw "tueddol") yna ni fydd gan bob rhif siawns hafal o gael ei daflu. Dyma pryd rydym yn dechrau trafod Amlder Cymharol — gallwch ei ddefnyddio i gyfrifo tebygolrwyddau pan mae'n bosib y bydd pethau'n amheus.

Gwnewch yr Arbrawf dro ar ôl tro, ar ôl tro, ar ôl tro

Mae rhaid ichi wneud arbrawf dro ar ôl tro ac yna gwneud cyfrifiad cyflym.
(Cofiwch, gallai arbrawf olygu taflu dis.)
Fel arfer bydd canlyniadau'r arbrofion hyn wedi eu hysgrifennu mewn tabl.

Y Fformiwla ar gyfer Amlder Cymharol

$$\text{Tebygolrwydd y bydd rhywbeth yn digwydd} = \frac{\text{Nifer o weithiau y digwyddodd}}{\text{Nifer o weithiau y gwnaethoch yr arbrawf}}$$

Gallwch gyfrifo'r amlder cymharol fel ffracsiwn ond fel arfer defnyddio degolion yw'r ffordd orau.

Y peth pwysig i'w gofio yw hyn: **Po amlaf y cynhelir yr arbrawf, y cywiraf fydd y tebygolrwydd.**

Enghraifft:

Nifer o Weithiau y taflwyd y dis	10	20	50	100
Nifer y rhifau tri a daflwyd	3	9	19	36
Amlder cymharol	$\frac{3}{10}=0.3$	$\frac{9}{20}=0.45$	$\frac{19}{50}=0.38$	$\frac{36}{100}=0.36$

Felly, beth yw'r tebygolrwydd? Mae gennym 4 ateb posibl, ond yr un gorau yw'r un sydd wedi ei gyfrifo gan ddefnyddio'r nifer fwyaf o dafliadau.
Mae hyn yn gwneud y tebygolrwydd o daflu tri ar y dis hwn yn 0.36.

A chan fod y tebygolrwydd o daflu tri gyda dis teg, diduedd yn 1/6 (tua 0.17), yna mae ein dis yn siŵr o fod yn un tueddol.

Y Prawf Hollbwysig:

1) Beth yw'r tebygolrwydd o ddewis y cardiau canlynol o becyn o gardiau chwarae (does dim Joceri): a) âs o unrhyw fath   b) rhif llai na 7   c) cerdyn llun coch?

2) Mae troellwr 3 ochr yn cael ei droelli 100 gwaith — mae'n glanio ar goch 43 gwaith, ar las 24 gwaith ac ar wyrdd bob tro arall. Cyfrifwch amlder cymharol pob canlyniad.

Tablau, Siartiau a Graffiau

Sicrhewch eich bod yn dysgu'r holl wahanol fathau o siartiau, tablau a graffiau y gellir eu defnyddio i gynrychioli data. Dyma nhw i gyd gyda'i gilydd i chi.

1) *Tablau Amlder*

Mae rhain yn cael eu trafod yn fanwl ar dudalennau 74-76.

Grwpiau yma:

Hyd h (m)	Amlder
$20 \leqslant h < 30$	12
$30 \leqslant h < 40$	21
$40 \leqslant h < 50$	18
$50 \leqslant h < 60$	10

Nifer y pethau ym mhob grŵp yma:

2) *Graffiau Llinell a Pholygonau Amlder*

Graff llinell yw set o bwyntiau sydd yn cael eu cysylltu â llinellau syth.

Mae polygon amlder yn edrych yn debyg ac yn cael ei ddefnyddio i ddangos y wybodaeth o dabl amlder fel yr un uchod.

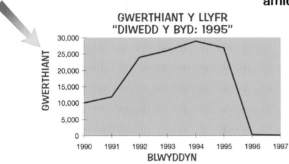

GWERTHIANT Y LLYFR "DIWEDD Y BYD: 1995"

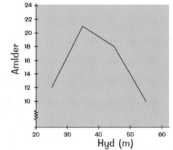

3) *Tablau Dwy Ffordd*

Mae tablau dwy ffordd ychydig fel tablau amlder, ond maen nhw'n dangos dau beth gwahanol:

ENGHRAIFFT:

"Defnyddiwch y tabl hwn i gyfrifo'r canlynol:
(a) sawl person llaw dde a
(b) sawl merch llaw chwith oedd yn yr arolwg hwn."

	Merched	Dynion	CYFANSWM
Llaw chwith		27	63
Llaw dde	164	173	
CYFANSWM	200	200	400

ATEB:

(a) Naill ai: (1) adiwch nifer y merched llaw dde a nifer y dynion llaw dde. Felly mae hynny'n 164 + 173 = 337 o bobl llaw dde.

Neu: (ii) tynnwch gyfanswm nifer y bobl llaw chwith o gyfanswm nifer y bobl. Felly mae hynny'n 400 – 63 = 337 o bobl llaw dde.

(b) Naill ai: (i) tynnwch nifer y merched llaw dde o gyfanswm nifer y merched. Mae hynny'n 200 – 164 = 36 o ferched llaw chwith.

Neu: (ii) tynnwch y dynion llaw chwith o gyfanswm nifer y bobl llaw chwith. Byddai hyn yn 63 – 27 = 36 o ferched llaw chwith.

Y Prawf Hollbwysig:

Lluniwch frasluniau enghreifftiol o'r tri math o dabl neu graff. Yna copïwch y tabl dwy ffordd, cuddiwch y dudalen a llenwch y bylchau eich hunan.

Tablau, Siartiau a Graffiau

4) *Pictogramau* — mae'r rhain yn defnyddio <u>darluniau</u> yn hytrach na <u>rhifau</u>.

<u>ENGHRAIFFT</u>: Mae'r <u>pictogram</u> gyferbyn yn dangos nifer y cathod siaradus a ddefnyddir mewn hysbysebion teledu chwerthinllyd dros gyfnod o 3 mis:

🐱 = 500 cath siaradus

Mai	🐱 🐱 🐱	(1500 cath siaradus)
Mehefin	🐱 🐱 🐱	(1250 cath siaradus)
Gorffennaf	🐱 🐱 🐱 🐱	(2000 cath siaradus)

Mewn <u>PICTOGRAM</u> mae pob darlun neu symbol yn cynrychioli nifer arbennig o eitemau.

5) *Siartiau Bar*

Gofalwch eich bod yn cofio pryd y dylai'r barrau gyffwrdd neu beidio â chyffwrdd:

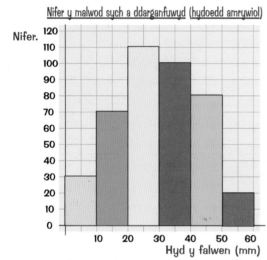

Nifer y malwod sych a ddarganfuwyd (hydoedd amrywiol)

Mae'r HOLL farrau yn y siart hwn ar gyfer HYDOEDD ac mae'n rhaid i chi <u>roi pob hyd posibl mewn un bar neu yn y bar nesaf</u>. Ni ddylid cael unrhyw leoedd gwag.

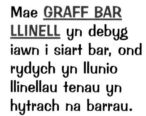

Dewisiadau Poblogaidd yn Ffreutur yr Ysgol

Mae'r siart bar hwn yn cymharu <u>eitemau hollol wahanol</u> felly mae'r barrau <u>ar wahân</u>.

Mae <u>GRAFF BAR LLINELL</u> yn debyg iawn i siart bar, ond rydych yn llunio llinellau tenau yn hytrach na barrau.

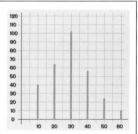

6) *Diagramau Coesyn a Deilen*

Mae diagramau <u>coesyn a deilen</u> ychydig fel siartiau bar, ond maen nhw'n peri mwy o ddryswch. Maen nhw i fod yn hawdd i'w darllen, ond dydyn nhw ddim. Felly <u>DYSGWCH</u> yr enghraifft hon.

ENGHRAIFFT: Mae'r diagram hwn yn dangos oedran fy athrawon ysgol.
a) Faint o'r athrawon sydd yn eu 40au?
b) Faint yw oed yr athro/athrawes hynaf?

ATEB:

<u>Cam 1:</u>
Ysgrifennwch oedran pob un o'r athrawon, gan ddefnyddio'r allwedd.

35,
40, 45, 47, 48,
51, 54, 59,
61, (63)

a) <u>pedwar</u>
b) <u>63</u>

3	5
4	0 5 7 8
5	1 4 9
6	1 3

Allwedd: 5 | 4 yn golygu 54

Mae'r allwedd yn dweud wrthych sut i ddarllen y diagram. Mae 5 yn y coesyn a 4 yn y ddeilen yn golygu 54.

<u>Cam 2:</u>
Atebwch y cwestiwn.

Tablau, Siartiau a Graffiau

7) Graffiau Gwasgariad

1) GRAFF GWASGARIAD yw llawer o bwyntiau ar graff sy'n edrych fel blerwch yn hytrach na llinell neu gromlin daclus.

2) Mae gair i'w gael sy'n disgrifio maint y blerwch y mae'r pwyntiau yn ei arddangos, sef CYDBERTHYNIAD.

3) Mae Cydberthyniad Da (neu Gydberthyniad Cryf) yn golygu bod y pwyntiau yn tueddu i fod ar linell daclus, ac mae hynny'n golygu bod y ddau beth yn perthyn yn agos i'w gilydd. Pan fydd hyn yn digwydd, gallwch dynnu llinell ffit gorau yn fras drwy ganol gwasgariad y pwyntiau.

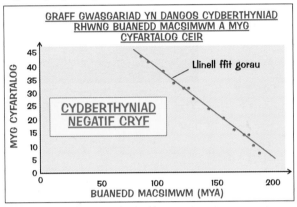

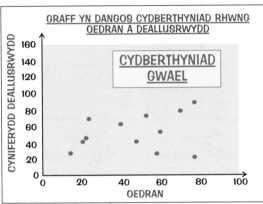

4) Mae Cydberthyniad Gwael (neu Gydberthyniad Gwan) yn golygu bod y pwyntiau dros y lle i gyd ac felly ychydig iawn o berthynas sydd rhwng y ddau beth.

5) Os yw'r pwyntiau'n ffurfio llinell sy'n goleddu TUAG I FYNY o'r chwith i'r dde, yna mae CYDBERTHYNIAD POSITIF, sy'n golygu bod y ddau beth yn cynyddu neu'n lleihau gyda'i gilydd.

6) Os yw'r pwyntiau'n ffurfio llinell sy'n goleddu TUAG I LAWR o'r chwith i'r dde, yna mae CYDBERTHYNIAD NEGATIF, sy'n golygu bod un peth yn cynyddu wrth i'r llall leihau.

7) Felly, wrth ddisgrifio graff gwasgariad, mae'n rhaid i chi nodi'r ddau beth, h.y. a yw'n gydberthyniad cryf/gwan/canolig ac a yw'n bositif/negatif.

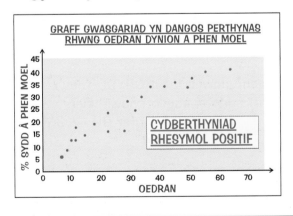

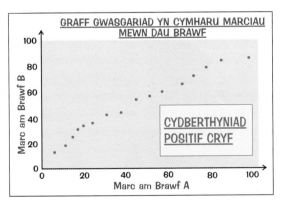

Y Prawf Hollbwysig: DYSGWCH YR HOLL SIARTIAU ar y ddwy dudalen hyn.

1) Cuddiwch y dudalen a lluniwch enghraifft o bob math o siart neu graff.
2) Os yw pwyntiau graff gwasgariad dros y lle i gyd, beth allwch chi ei ddweud am y ddau beth y mae'r graff gwasgariad yn eu cymharu?

Siartiau Cylch

Gall Siartiau Cylch fod yn eithaf anodd mewn cwestiynau arholiad.
Felly dysgwch y Rheol Aur ar gyfer Siartiau Cylch:

CYFANSWM Popeth = 360°

Cofiwch mai 360° yw'r peth pwysig wrth ddelio â'r rhan fwyaf o Siartiau Cylch.

1) Perthnasu Onglau â Ffracsiynau

Dylech wybod y pump symlaf yn syth:

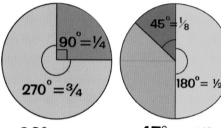

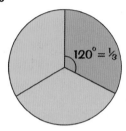

Ar gyfer unrhyw ongl, y fformiwla yw:

Ffracsiwn = Ongl/360°

Yna defnyddiwch gyfrifiannell i'w ganslo (Gweler tud. 10)

90° = 1/4   45° = 1/8   120° = 1/3
270° = 3/4   180° = 1/2

Os oes rhaid mesur ongl, dylech ddisgwyl y bydd yn rhif cyflawn fel 90° neu 180° neu 120°, felly peidiwch ag ysgrifennu 89° neu 181° neu unrhyw beth gwirion o'r fath.

2) Perthnasu onglau â nifer o bethau eraill

Creadur	Pryf Pric	Bochdew	Mochyn Cwta	Cwningen	Hwyaden	Cyfanswm
Nifer	12	20	17	15	26	90
	×4	×4	×4	×4	×4	×4
Ongl	48°	80°	68°	60°	104°	360°

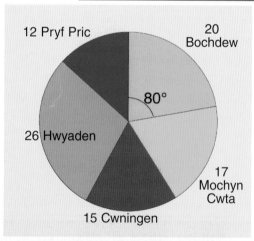

1) Adiwch yr holl niferoedd ym mhob sector i gael y CYFANSWM (...90 yma)

2) Yna darganfyddwch y LLUOSYDD (neu'r rhannydd) sydd ei angen i newid eich cyfanswm yn 360°: Ar gyfer 90 → 360 fel uchod, y LLUOSYDD yw 4

3) Nawr LLUOSWCH BOB RHIF Â 4 i gael ongl pob sector. E.e. yr ongl ar gyfer y Bochdew fydd 20 × 4 = 80°

Y Prawf Hollbwysig:

Dangoswch y data gyferbyn mewn Siart Cylch:

Tîm Pêl-droed	Wrecsam	Caerdydd	Abertawe	Eraill
Nifer y cefnogwyr	53	15	30	22

ADRAN PUMP — TRIN DATA

Cymedr, Canolrif, Modd ac Amrediad

Os na lwyddwch i ddysgu'r 4 diffiniad sylfaenol hyn byddwch yn colli rhai o'r marciau hawsaf i'w hennill yn yr Arholiad. Felly mae'n rhaid nad yw'r gwaith mor anodd â hynny!

1) MODD = MWYAF cyffredin

Modd = mwyaf cyffredin (sylwch ar yr 'm' yn y ddau air)

2) CANOLRIF = Gwerth CANOL

Canolrif = Canol (yr un gair yn union!)

3) CYMEDR = CYFANSWM yr eitemau ÷ NIFER yr eitemau

Yn anffodus, dim cymorth i gofio hwn.

4) AMREDIAD = Y gwahaniaeth rhwng y gwerth lleiaf a'r gwerth mwyaf

Y RHEOL AUR:

Dylai gwybod ystyr cymedr, canolrif a modd fod yn ffordd hawdd o ennill marciau, ond mae hyd yn oed y rhai sydd wedi gwneud ymdrech fawr i'w dysgu yn llwyddo i golli marciau yn yr Arholiad oherwydd nad ydynt yn cymryd y cam hollbwysig hwn:

AILDREFNWCH y data bob amser yn ôl TREFN ESGYNNOL

(a gofalwch fod gennych yr un nifer o ddata ag o'r blaen!)

Enghraifft   "Darganfyddwch gymedr, canolrif, modd ac amrediad y rhifau hyn":

2, 5, 3, 2, 6, -4, 0, 9, -3, 1, 6, 3, -2, 3   (14)

1) YN GYNTAF   aildrefnwch nhw: -4, -3, -2, 0, 1, 2, 2, 3, 3, 3, 5, 6, 6, 9   (✓14)

2) CYMEDR = $\frac{\text{cyfanswm}}{\text{nifer}}$ = $\frac{-4-3-2+0+1+2+2+3+3+3+5+6+6+9}{14}$

= 31 ÷ 14 = **2.21**

3) CANOLRIF = y gwerth canol (dim ond pan fyddant wedi eu trefnu yn ôl maint)

Pan fo dau rif canol, fel yn yr achos hwn, mae'r canolrif hanner ffordd rhwng y ddau rif canol.

> -4, -3, -2, 0, 1, 2, 2, 3, 3, 3, 5, 6, 6, 9
> ← saith rhif yr ochr hon   ↑ saith rhif yr ochr hon →
> Canolrif = **2.5**

4) MODD = y gwerth mwyaf cyffredin, sef **3**. (Neu gallwch ddweud fod y "gwerth moddol yn 3.")

5) AMREDIAD = y pellter o'r gwerth lleiaf i'r gwerth mwyaf, h.y. o -4 hyd at 9, = **13**

Y Prawf Hollbwysig: DYSGWCH y Pedwar Diffiniad a'r RHEOL AUR ...

... yna cuddiwch y dudalen ac ysgrifennwch nhw oddi ar eich cof.

1) Defnyddiwch bopeth rydych chi wedi ei ddysgu i ddarganfod cymedr, canolrif, modd ac amrediad y set hon o ddata: 1, 3, 14, -5, 6, -12, 18, 7, 23, 10, -5, -14, 0, 25, 8

Tablau Amlder

Gellir llunio tablau amlder naill ai mewn <u>rhesi</u> neu mewn <u>colofnau</u> o rifau, a gallant fod yn eithaf dyrys, <u>oni bai eich bod yn dysgu'r pwyntiau allweddol hyn</u>:

1) Mae'r gair <u>AMLDER</u> yn golygu <u>FAINT</u>, felly ystyr tabl amlder yn syml yw tabl "<u>Faint sydd ym mhob grŵp</u>".

2) Mae'r <u>RHES</u> (neu golofn) <u>GYNTAF</u> yn rhoi <u>LABELI GRWPIAU</u>.

3) Yr <u>AIL RES</u> (neu golofn) yw'r <u>DATA 'GO IAWN'</u>.

4) I ddarganfod y <u>CYMEDR</u> mae'n rhaid ichi <u>LUNIO TRYDEDD RHES</u> (neu golofn) ac yna cyfrifo <u>CYMEDR = Cyfanswm y 3edd rhes ÷ Cyfanswm yr 2il Res.</u>

Enghraifft

Dyma dabl amlder nodweddiadol wedi ei lunio ar <u>FFURF RHES</u> yn ogystal ag ar <u>FFURF COLOFN</u>:

Ffurf Rhes

Nifer y chwiorydd	0	1	2	3	4	5	6
Amlder	7	15	12	8	3	1	0

Ffurf Colofn

Nifer y chwiorydd	Amlder
0	7
1	15
2	12
3	8
4	3
5	1
6	0

Mae'n hawdd darganfod y modd a'r amrediad drwy edrych ar y tabl:

Y MODD yw'r grŵp â'r nifer fwyaf o gofnodion: h.y. <u>1</u>

Mae'r ail res yn dweud wrthym fod gan rai pobl 'ddim chwiorydd' neu 'bum chwaer' (ond nid 6 chwaer). Felly'r <u>AMREDIAD</u> yw 5 – 0 = <u>5</u>.

Er mwyn darganfod y cymedr ar gyfer y data, mae angen ichi ychwanegu rhes arall:

Nifer y chwiorydd	0	1	2	3	4	5	6	cyfansymiau	
Amlder	7	15	12	8	3	1	0	46	(Pobl a holwyd)
Nifer × Amlder	0	15	24	24	12	5	0	80	(Chwiorydd)

Nawr drwy edrych ar y tabl:

$$\underline{CYMEDR} = \frac{\text{Cyfanswm y 3edd rhes}}{\text{cyfanswm yr 2il res}} = \frac{80}{46} = \underline{1.74} \text{ (chwaer y person)}$$

Y Prawf Hollbwysig: DYSGWCH y <u>RHEOLAU</u> ar gyfer Tablau Amlder, yna <u>cuddiwch</u> y dudalen ac <u>YSGRIFENNWCH NHW</u> i weld beth rydych chi'n ei wybod.

Gan ddefnyddio'r dulliau yr ydych newydd eu dysgu a'r tabl amlder hwn, darganfyddwch GYMEDR, MODD ac AMREDIAD nifer y teleffonau sydd gan bobl.

Nifer y teleffonau	0	1	2	3	4	5	6
Amlder	1	25	53	34	22	5	1

ADRAN PUMP — TRIN DATA

Tablau Amlder Grŵp

Yn aml mae tablau amlder yn grwpio data gyda'i gilydd i'w gwneud yn haws eu deall.

Enghraifft 1:

Dyma farciau 28 disgybl mewn prawf (allan o 80):

63, 45, 44, 52, 58,
49, 48, 22, 37, 34,
44, 49, 66, 73, 69,
32, 49, 29, 55, 57,
30, 72, 59, 46, 70,
39, 27, 40

Fel Tabl Amlder Grŵp

Marciau	Marciau rhifo	Amlder
$0 \leq x \leq 10$		
$11 \leq x \leq 20$		
$21 \leq x \leq 30$	||||	4
$31 \leq x \leq 40$	⊬⊬	5
$41 \leq x \leq 50$	⊬⊬ |||	8
$51 \leq x \leq 60$	⊬⊬	5
$61 \leq x \leq 70$	||||	4
$71 \leq x \leq 80$	||	2
Cyfanswm		28

Enghraifft 2:

Mae pwysau (mewn kg) criw o 20 o ddisgyblion ysgol yn cael eu dangos isod.

67.3, 45.6, 47.7, 65.0,
54.2, 76.5, 44.6, 34.3,
69.8, 53.9, 32.3, 54.5,
78.9, 59.8, 57.4, 30.0,
79.1, 46.2, 66.0, 51.6

Fel Tabl Amlder Grŵp

Pwysau p (kg)	Marciau rhifo	Amlder
$30 \leq p < 40$	|||	3
$40 \leq p < 50$	||||	4
$50 \leq p < 60$	⊬⊬ |	6
$60 \leq p < 70$	||||	4
$70 \leq p < 80$	|||	3
Cyfanswm		20

Darllen y Cyfyngau

Yn y tabl uchaf, mae "$0 \leq x \leq 10$" yn golygu bod x naill ai rhwng 0 a 10 neu ei fod yn un o'r gwerthoedd hynny.

Yn y tabl gwaelod, mae "$30 \leq p < 40$" yn golygu bod p rhwng 30 a 40 neu gallai fod yn hafal i 30, ond ni all fod yn hafal i 40 (byddai 40 yn cael ei roi yn y grŵp nesaf)

Mae'r cyfyngau a ddefnyddiwyd yn y tabl uchaf yn addas ar gyfer data rhifau cyfan (sylwer na allech roi 30.5 ar y tabl hwn — byddai'n syrthio rhwng dau grŵp). Mae rhifau cyfan yn enghraifft o ddata arwahanol — data a all gymryd gwerthoedd penodol yn unig.

Mae'r cyfyngau yn y tabl gwaelod yn addas ar gyfer unrhyw rifau (30.5, 50.9999) oherwydd nid oes lleoedd gwag rhwng y grwpiau. Gelwir data o'r fath sy'n gallu cymryd unrhyw werthoedd o fewn amrediad yn ddata di-dor.

Y Prawf Hollbwysig:

1) Nodwch pa un ai yw'r canlynol yn ddata di-dor ynteu'n ddata arwahanol a lluniwch dabl data ar gyfer pob un: a) maint esgid 20 oedolyn
b) taldra 30 oedolyn

Tablau Amlder Grŵp

Amcangyfrif y Cymedr ar gyfer Data Grŵp

Mae angen ichi allu amcangyfrif y cymedr ar gyfer data mewn tabl amlder grŵp. Cofiwch mai dim ond <u>amcangyfrif</u> y cymedr sy'n bosibl gan na wyddoch y <u>gwir werthoedd</u>.

1) <u>Ychwanegwch 3edd rhes</u> a rhowch <u>WERTHOEDD CANOL CYFWNG</u> ar gyfer pob grŵp.
2) <u>Ychwanegwch 4edd rhes</u> a lluoswch <u>AMLDER × GWERTH CANOL CYFWNG</u> ar gyfer pob grŵp.
3) Cyfrifwch <u>GYFANSYMIAU</u> rhesi 2 a 4.
4) Darganfyddwch y cymedr drwy rannu <u>CYFANSWM RHES</u> 4 â <u>CHYFANSWM RHES 2</u>.

Sylwer — os yw'r tabl wedi ei drefnu fel y rhai ar y dudalen flaenorol, colofnau eraill fydd angen ichi eu hychwanegu yn hytrach na rhesi.

Enghraifft:

Mae'r tabl isod yn dangos dosraniad pwysau 60 plentyn.
Darganfyddwch y grŵp moddol ac amcangyfrifwch y cymedr.

Pwysau	$30 \le p < 40$	$40 \le p < 50$	$50 \le p < 60$	$60 \le p < 70$	$70 \le p < 80$
Amlder	8	16	18	12	6

Y grŵp moddol yw'r un â'r amlder mwyaf: $50 \le p < 60$ kg

Er mwyn darganfod y cymedr, adiwch ddwy res at y tabl fel sy'n cael ei ddisgrifio uchod:

Pwysau (kg)	$30 \le p < 40$	$40 \le p < 50$	$50 \le p < 60$	$60 \le p < 70$	$70 \le p < 80$	Cyfansymiau
Amlder	8	16	18	12	6	60
Gwerth Canol Cyfwng	35	45	55	65	75	—
Amlder × Gwerth Canol Cyfwng	280	720	990	780	450	3220

Nawr, rhannwch y cyfansymiau i gael amcangyfrif ar gyfer y cymedr:

$$\text{Cymedr} = \frac{\text{Cyfanswm Terfynol (Rhes Olaf)}}{\text{Cyfanswm yr Amlder (Ail res)}} = \frac{3220}{60} = \underline{53.7}$$

Y Prawf Hollbwysig:

<u>DYSGWCH</u> yr holl fanylion sydd ar y dudalen hon, yna <u>cuddiwch y dudalen ac ysgrifennwch bopeth rydych chi wedi ei ddysgu.</u>

1) Amcangyfrifwch y cymedr o'r tabl hwn:
2) Nodwch beth yw'r grŵp moddol.

Hyd h (cm)	$15.5 \le h < 16.5$	$16.5 \le h < 17.5$	$17.5 \le h < 18.5$	$18.5 \le h < 19.5$
Amlder	12	18	23	8

Prawf Adolygu Adran Pump

YMA DISGWYLIR ICHI ddefnyddio'r holl ddulliau rydych chi wedi eu dysgu
yn Adran Pump i ateb y cwestiynau hyn.

1) Mae bag yn cynnwys 3 pêl goch, 5 pêl werdd a 7 pêl ddu. Darganfyddwch y
   tebygolrwydd o ddewis pêl ddu.

2) Os taflaf 2 ddarn arian, rhestrwch yr holl ganlyniadau posibl. Gan fod y canlyniadau hyn i
   gyd yr un mor debygol, beth yw'r siawns o gael dau ben?

3) Os taflaf ddarn arian a dis, rhestrwch yr holl ganlyniadau posibl a dywedwch beth yw'r
   tebygolrwydd o gael PEN a CHWECH.

4) Y tebygolrwydd y bydd dis â thuedd yn rhoi CHWECH yw 0.2.
   Beth yw'r siawns NA FYDD y dis yn rhoi chwech?

5) Beth yw'r enw ar y math
   hwn o ddiagram?
   Sawl cwsmer blin oedd yna ddydd Iau?

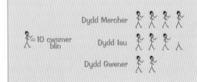

6) Beth yw'r enw ar y math hwn o ddiagram?
   Pa mor dda yw'r CYDBERTHYNIAD rhwng
   Canlyniad A a Chanlyniad B?

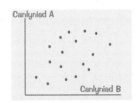

7) Cwblhewch y tabl hwn ac yna rhowch y wybodaeth mewn SIART CYLCH.

Lliw	Glas	Coch	Melyn	Gwyn	Cyfansymiau
Nifer y Ceir	12	15	4	9	40
Ongl yn y Siart Cylch					360 gradd

8) Ar gyfer y set hon o rifau: 2,   6,   7,   12,   3,   7,   4,   15

   a) Darganfyddwch y MODD   b) Darganfyddwch y CANOLRIF
   c) Darganfyddwch y CYMEDR   ch) Darganfyddwch yr AMREDIAD

9) Mewn tabl amlder beth yw ystyr 50 ≤ p < 60?
   Fyddech chi'n rhoi 50 yn y grŵp hwn? Ac a fyddai 60 yn perthyn i'r grŵp hwn ynteu i'r
   grŵp nesaf, 60 ≤ p < 70?

10) Mae amseroedd pob un o'r 1000 rhedwr yn hanner marathon Nant y Glo wedi eu cofnodi
    yn y tabl isod. Nodwch y grŵp moddol ac amcangyfrifwch yr amser cymedrig.

Amser (mun)	60 < a ≤ 90	90 < a ≤ 120	120 < a ≤ 150	150 < a ≤ 180	180 < a ≤ 210	210 < a ≤ 240
Amlder	15	60	351	285	206	83

Cyfesurynnau X, Y a Z

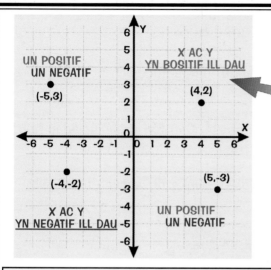

Mae gan graff <u>bedwar ranbarth gwahanol</u> lle mae'r cyfesurynnau X ac Y naill ai yn <u>bositif</u> neu yn <u>negatif</u>.

Dyma'r rhanbarth hawsaf o ddigon oherwydd yma <u>MAE'R CYFESURYNNAU I GYD YN BOSITIF</u>.

Mae'n rhaid i chi fod yn <u>ofalus iawn</u> yn y <u>RHANBARTHAU ERAILL</u> fodd bynnag, oherwydd gallai'r cyfesuryn X ac Y fod yn <u>negatif</u>, ac mae hynny bob amser yn gwneud bywyd yn anodd.

Cyfesurynnau X, Y — Cael y drefn gywir

Rhaid ichi roi <u>CYFESURYNNAU</u> bob amser mewn cromfachau fel hyn: (x, y)

$$(x, y)$$

Ac mae'n rhaid ichi fod yn ofalus iawn bob amser i'w rhoi yn <u>y drefn gywir</u> — X yn gyntaf, yna Y. Dyma <u>DRI PHWYNT</u> i'ch helpu i gofio:

1) Mae'r ddau gyfesuryn bob amser <u>YN NHREFN YR WYDDOR, X ac yna Y</u>.

2) Yr echelin fflat sy'n mynd <u>AR DRAWS</u> y dudalen bob amser yw'r echelin X.

3) Rydych bob amser yn mynd <u>I MEWN I'R TY</u> (→) ac yna <u>I FYNY'R GRISIAU</u> (↑), felly ewch <u>AR DRAWS</u> yn gyntaf ac <u>yna I FYNY</u>, h.y. cyfesuryn X yn gyntaf, yna cyfesuryn Y.

Mae cyfesurynnau Z ar gyfer gofod 3-D

1) Y cwbl y mae cyfesurynnau z yn ei wneud yw <u>estyn</u> y cyfesurynnau x, y cyffredin i <u>drydydd cyfeiriad</u>, sef z, fel bod gan <u>bob lleoliad 3 chyfesuryn</u>: <u>(x, y, z)</u>

2) Golyga hyn eich bod yn gallu ysgrifennu cyfesurynnau <u>corneli bocs</u> neu unrhyw <u>SIÂP 3 DIMENSIWN</u> arall.

Er enghraifft, yn y llun hwn, cyfesurynnau B ac F yw B(7, 4, 0) F(7, 4, 2)

Y Prawf Hollbwysig:

PEIDIWCH AG ANGHOFIO:
3 CHYFESURYN = GOFOD 3-D
2 GYFESURYN = GOFOD 2-D

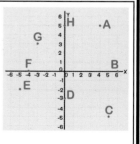

<u>DYSGWCH Y 3 Rheol</u> er mwyn cael X ac Y yn y drefn gywir. Yna cuddiwch y dudalen ac <u>ysgrifennwch bopeth</u>.

Ysgrifennwch gyfesurynnau'r llythrennau A hyd at H ar y graff hwn:

Canolbwynt Segment Llinell

Y "Canolbwynt" yw Canol y Llinell

"<u>CANOLBWYNT SEGMENT LLINELL</u>" yw'r <u>PWYNT SYDD REIT YN EI CHANOL</u>.

(Ddim yn anodd, nac ydy...)

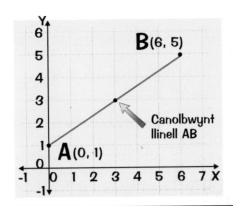

Darganfod Cyfesurynnau Canolbwynt

Yr unig beth sydd raid i chi ei wybod am ganolbwyntiau yw sut i ddarganfod eu cyfesurynnau.

Mae hyn yn eithaf hawdd. Cyfesuryn **X** y canolbwynt yw cymedr cyfesurynnau **X** y pwyntiau ar bob pen — ac mae'r un peth yn wir am y cyfesurynnau **Y**.

<u>ENGHRAIFFT</u>: "Cyfesurynnau pwyntiau A a B yw (2, 1) a (6, 3). Darganfyddwch ganolbwynt y llinell AB."

<u>DECHREUWCH BOB AMSER DRWY LUNIO GRAFF</u>

Yna dilynwch y <u>TRI CHAM HAWDD HYN</u> ...

1) <u>Darganfyddwch GYMEDR CYFESURYNNAU X</u> y ddau bwynt.

Cymedr y Cyfesurynnau x
= (2+6) ÷ 2 = <u>4</u>

2) <u>Darganfyddwch GYMEDR CYFESURYNNAU Y</u> y ddau bwynt.

Cymedr y Cyfesurynnau y
= (1+3) ÷ 2 = <u>2</u>

3) <u>Gosodwch nhw MEWN CROMFACHAU</u>.

Rhowch nhw mewn cromfachau
(cyfesuryn x yn gyntaf): (<u>4, 2</u>)

Y Prawf Hollbwysig:

<u>Dysgwch y 3 cham hawdd</u> hyn ar gyfer darganfod canolbwyntiau. Cuddiwch y llyfr ac <u>ysgrifennwch nhw</u>.

Plotiwch y pwyntiau hyn ar bapur graff: A(1, 4), B(5, 6), C(3, 2), D(7, 0).
1) Tynnwch linell rhwng y pwyntiau A a B a darganfyddwch ganolbwynt llinell AB.
2) Tynnwch linell rhwng y pwyntiau C a D a darganfyddwch ganolbwynt llinell CD.

Graffiau Llinell Syth

Gellir defnyddio hafaliad syml i ddisgrifio unrhyw graff llinell syth.
Dylech allu adnabod llawer o graffiau dim ond drwy edrych ar eu hafaliadau.

1) Llinellau Llorweddol a Fertigol: "x = a" ac "y = b"

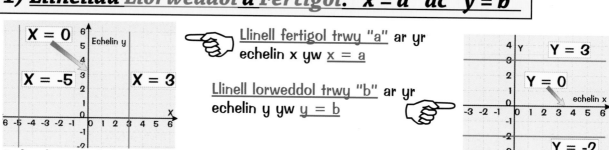

Llinell fertigol trwy "a" ar yr echelin x yw x = a

Llinell lorweddol trwy "b" ar yr echelin y yw y = b

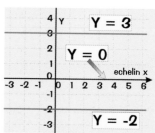

Cofiwch: yr echelin y hefyd yw'r llinell x = 0

Cofiwch: yr echelin x hefyd yw'r llinell y = 0

2) Y Prif Groesliniau: "y = x" ac "y = -x"

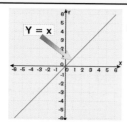

"y = x" yw'r brif groeslin sy'n mynd TUAG I FYNY o'r chwith i'r dde.

"y = -x" yw'r brif groeslin sy'n mynd TUAG I LAWR o'r chwith i'r dde.

3) Llinellau Eraill sy'n Goleddu trwy'r tardd: "y = mx" ac "y = -mx"

y = mx ac y = -mx yw hafaliadau LLINELL SY'N GOLEDDU TRWY'R TARDD.

Mae gwerth "m" (sef y graddiant), yn dweud pa mor serth yw'r llinell. Po fwyaf yw "m", y mwyaf serth yw'r goledd. Mae ARWYDD MINWS yn dweud bod y goledd TUAG I LAWR.

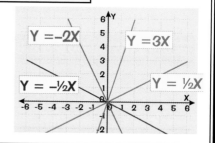

Pob Llinell Syth Arall

Mae hafaliadau llinell syth eraill ychydig yn fwy cymhleth. Mae'r dudalen nesaf yn dangos sut i'w llunio, ond y cam cyntaf, fodd bynnag, yw gwybod sut i'w hadnabod yn y lle cyntaf. Cofiwch: Mae pob hafaliad llinell syth yn cynnwys "rhywbeth x, rhywbeth y, a rhif."

Llinellau syth:		DDIM yn llinellau syth:	
$x - y = 0$	$y = 2 + 3x$	$y = x^3 + 3$	$2y - 1/x = 7$
$2y - 4x = 7$	$4x - 3 = 5y$	$1/y + 1/x = 2$	$x(3 - 2y) = 3$
$3y + 3x = 12$	$6y - x - 7 = 0$	$x^2 = 4 - y$	$xy + 3 = 0$

Y Prawf Hollbwysig: DYSGWCH yr holl graffiau penodol ar y dudalen hon a hefyd sut i adnabod hafaliadau llinellau syth.

Nawr cuddiwch y dudalen ac ysgrifennwch bopeth rydych chi wedi ei ddysgu.

Graffiau Llinell Syth

Nawr dylech allu adnabod graffiau llinell syth drwy edrych ar hafaliadau.
Y cam nesaf yw dysgu sut i'w llunio...

1) Llunio'r *Tabl Gwerthoedd*

1) Yr hyn rydych chi'n debygol o'i gael yn yr Arholiad yw hafaliad fel
   "$y = x + 3$", neu "$y = 3x + 2$" a thabl gwerthoedd wedi hanner ei orffen:

Enghraifft: "Cwblhewch y tabl gwerthoedd hwn,
                gan ddefnyddio'r hafaliad $y = 2x - 7$"

x	-2	0	2	4	6
y	-11		-3		

2) Rhowch bob gwerth x yn yr hafaliad a chyfrifwch y gwerth y sy'n cyfateb iddo.
   E.e. <u>Ar gyfer x = 0</u>, $y = 2x - 7 = (2 \times 0) - 7 = 0 - 7 = \underline{-7}$, ayb...

   nes byddwch yn cael hyn:

x	-2	0	2	4	6
y	-11	-7	-3	1	5

2) *Plotio'r Pwyntiau a Llunio'r Graff*

1) <u>PLOTIWCH BOB PÂR</u> o werthoedd x ac y o'r tabl fel pwynt ar y graff.
2) Byddwch yn <u>OFALUS IAWN</u> wrth wneud hyn — a pheidiwch â chymysgu'r gwerthoedd x ac y (Gweler tud. 78)
3) Bydd y pwyntiau bob amser yn ffurfio <u>LLINELL HOLLOL SYTH</u>.

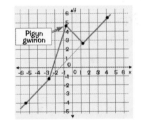

<u>PEIDIWCH BYTH</u> â gadael i un pwynt lusgo eich llinell i gyfeiriad hollol wirion. Nid ydych byth yn cael <u>PIGYNNAU</u> — dim ond <u>CAMGYMERIADAU</u>!

4) Os oes un pwynt yn edrych ychydig yn rhyfedd, gwiriwch 2 beth:
   – y gwerth Y rydych chi wedi ei gyfrifo yn y tabl
   – eich bod wedi ei blotio'n gywir!

<u>Parhad yr Enghraifft yn rhan 1):</u>

"Defnyddiwch eich tabl gwerthoedd i blotio graff $y = 2x - 7$"

Syml — plotiwch bob pwynt yn ofalus, yna dylech allu llunio <u>LLINELL SYTH</u> daclus drwy'r holl bwyntiau.

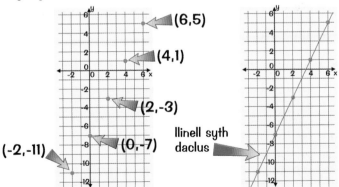

Y Prawf Hollbwysig:

x	-4	-2	-1	0	1	2	4
y	-6			-2			

1) DYSGWCH yr holl fanylion pwysig ar y dudalen hon.
2) Yna, <u>defnyddiwch hwy i gwblhau'r tabl gwerthoedd hwn</u> ar gyfer yr hafaliad: $y = x - 2$
3) Yna <u>plotiwch y pwyntiau ar bapur graff a lluniwch y graff.</u>

Graffiau Llinell Syth — Graddiannau

Cofiwch fod y graddiant yn mesur goleddf y graff. Mae cyfrifo graddiant llinell syth yn waith eithaf anodd, ac felly gall amryw o bethau fynd o chwith. Felly, dilynwch y dull yn ofalus iawn...

Dull Penodol o Ddarganfod Graddiant

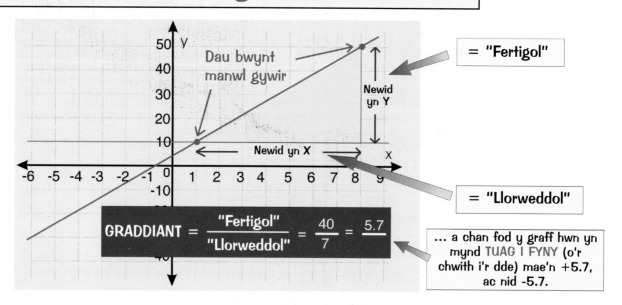

1) Darganfyddwch ddau bwynt manwl gywir, sy'n eithaf pell oddi wrth ei gilydd

Y ddau yn y pedrant uchaf ar y dde os yn bosibl, (i gadw'r holl rifau'n bositif a thrwy hynny leihau'r posibilrwydd o wallau.)

2) Cwblhewch y triongl fel y dangosir.

3) Darganfyddwch y newid yn Y a'r newid yn X

Sicrhewch eich bod yn gwneud hyn gan ddefnyddio'r GRADDFEYDD ar yr echelinau y ac x, nid trwy gyfrif centimetrau! (Felly yn yr enghraifft a ddangosir, mae'r newid yn Y 40 uned o'r echelin Y.)

4) Dysgwch y fformiwla hon a defnyddiwch hi:

$$\text{GRADDIANT} = \frac{\text{FERTIGOL}}{\text{LLORWEDDOL}}$$

Gofalwch eich bod yn gosod y rhain yn y drefn gywir hefyd!

5) Yn olaf, penderfynwch a yw'r graddiant yn BOSITIF ynteu'n NEGATIF?

Os yw'n goleddu TUAG I FYNY, chwith → de (↗) yna mae'n bositif

Os yw'n goleddu TUAG I LAWR, chwith → de (↘) yna mae'n negatif (felly rhowch (-) o'i flaen)

Y Prawf Hollbwysig:

DYSGWCH y PUM CAM ar gyfer darganfod graddiant, yna cuddiwch y dudalen ac YSGRIFENNWCH NHW oddi ar eich cof.

Plotiwch y 3 phwynt hyn ar graff: (0, 3) (2, 0) (5, -4.5) ac yna cysylltwch nhw â llinell syth. Wedyn, defnyddiwch y PUM CAM yn ofalus i ddarganfod graddiant y llinell.

Graffiau Llinell Syth: "y = mx + c"

y = mx + c yw'r hafaliad cyffredinol ar gyfer graff llinell syth, a bydd angen i chi gofio:

> "m" yw GRADDIANT y graff
> "c" yw'r gwerth LLE MAE'N CROESI'R ECHELIN Y a'r enw arno yw'r RHYNGDORIAD Y.

1) Llunio Llinell Syth gan ddefnyddio "y = mx + c"

Y prif beth yw gallu adnabod "m" ac "c" a gwybod beth i'w wneud â nhw:
OND BYDDWCH YN OFALUS — mae'n ddigon hawdd cymysgu rhwng "m" ac "c", yn enwedig yn y ffurf "y = 5 + 2x", dyweder. COFIWCH mai'r rhif O FLAEN X yw "m" ac mai "c" yw'r rhif sydd AR EI BEN EI HUN.

Dull

1) Ysgrifennwch yr hafaliad yn y ffurf "y = mx + c."
2) NODWCH YN OFALUS beth yw "m" ac "c".
3) RHOWCH SMOTYN AR YR ECHELIN Y lle mae gwerth c.
4) Yna ewch YMLAEN UN UNED ac i fyny neu i lawr yn ôl gwerth m a rhoi smotyn arall.
5) Ailadroddwch yr un "cam" yn y ddau gyfeiriad fel sy'n cael ei ddangos:
6) Yn olaf GWIRIWCH fod y graddiant yn EDRYCH YN IAWN.

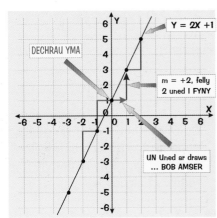

Mae'r graff yn dangos y broses ar gyfer yr hafaliad "y = 2x + 1":
1) "c" = 1, felly rhowch smotyn cyntaf yn y = 1 ar yr echelin y.
2) Ewch 1 uned ymlaen → ac yna i fyny 2 oherwydd bod "m" = +2.
3) Dilynwch yr un cam eto, 1→ 2↑ i'r ddau gyfeiriad. (h.y. 1← 2↓ y ffordd arall)
4) GWIRIWCH: dylai graddiant o +2 fod yn eithaf serth tuag i fyny o'r chwith i'r dde — ac felly y mae.

2) Darganfod Hafaliad Graff Llinell Syth

MAE HYN YN HAWDD:

1) Darganfyddwch ym mhle mae'r graff YN CROESI'R ECHELIN Y.   Dyma werth "c".
2) Darganfyddwch werth y GRADDIANT (gweler tud. 82).   Dyma werth "m"
3) Rhowch y gwerthoedd hyn ar gyfer "m" ac "c" i mewn yn "y = mx + c" — a dyna ni!

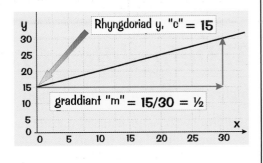

Yn y graff a ddangosir yma, m = ½ ac c = 15 felly daw "y = mx + c" yn "y = ½ x + 15".

Y Prawf Hollbwysig:

> DYSGWCH FANYLION y ddau ddull ar gyfer "y = mx + c". Yna TROWCH Y DUDALEN ac YSGRIFENNWCH BOPETH.

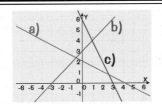

1) Gan ddefnyddio "y = mx + c" lluniwch graffiau y = x – 3 ac y = 4 – 2x.
2) Gan ddefnyddio "y = mx + c" darganfyddwch hafaliadau'r tri graff hyn →

Graffiau Cwadratig

Gelwir hafaliadau sy'n cynnwys <u>term x^2</u> yn hafaliadau <u>cwadratig</u>. Mae gan graffiau'r holl hafaliadau hyn <u>siâp bwced CYMESUR</u>.

Os yw'r rhan x^2 yn bositif (h.y. $+x^2$) mae'r bwced yn sefyll yn y ffordd naturiol, ond os oes gan y rhan x^2 arwydd "minws" o'i flaen yna mae'r bwced <u>â'i phen i lawr</u>.

Mae'r graffiau yn mynd yn fwyfwy serth ond ni fyddant <u>byth yn fertigol</u> – cofiwch hyn pan fyddwch yn eu llunio.

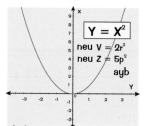

$Y = X^2$
neu $V = 2r^2$
neu $Z = 5p^2$
ayb

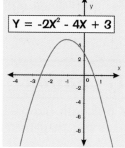

$Y = -2X^2 - 4X + 3$

Mae'r rhan fwyaf o gwestiynau yn dilyn patrwm penodol...

1) Llenwch y Tabl Gwerthoedd

Enghraifft: "Llenwch y tabl gwerthoedd ar gyfer yr hafaliad $y = x^2 + 2x - 3$ a lluniwch y graff."

x	-5	-4	-3	-2	-1	0	1	2	3
y		5		-3	-4	-3	0		

Cyfrifwch bob pwynt yn <u>ofalus iawn</u>, gan ysgrifennu eich holl waith cyfrifo. Peidiwch â bwydo popeth yn syth i'ch cyfrifiannell — byddwch yn sicr o wneud camgymeriadau. Er mwyn sicrhau eich bod yn gwneud <u>pethau'n gywir</u>, gofalwch eich bod yn gallu <u>atgynhyrchu</u>'r gwerthoedd y a roddwyd eisoes ichi.

2) Lluniwch y Gromlin

1) <u>PLOTIWCH Y PWYNTIAU YN OFALUS</u>, a pheidiwch â chymysgu'r gwerthoedd x ac y.

2) Dylai'r pwyntiau ffurfio <u>CROMLIN HOLLOL LEFN</u>. Os nad ydynt, maen nhw'n <u>anghywir</u>.

<u>PEIDIWCH BYTH</u> â gadael i un pwynt lusgo eich llinell i gyfeiriad gwirion. Pan fo graff yn cael ei lunio o hafaliad, <u>nid ydych byth yn cael pigynnau neu lympiau</u> – dim ond <u>CAMGYMERIADAU</u>.

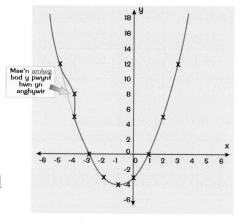

Mae'n amlwg bod y pwynt hwn yn anghywir

3) Defnyddio'r Graff i Ateb Cwestiwn

Enghraifft: "Defnyddiwch eich graff i ddatrys yr hafaliad $x^2 + 2x - 3 = 0$".

1) Edrychwch — yr hafaliad y gofynnwyd ichi ei ddatrys yw'r hyn a gewch pan ydych yn rhoi <u>$y = 0$</u> i mewn yn hafaliad y graff, $y = x^2 + 2x - 3$.

2) Er mwyn datrys yr hafaliad, y cwbl sydd angen ichi ei wneud yw darllen y gwerthoedd x pan yw $y = 0$, h.y. pan yw'n croesi echelin x.

3) Felly y datrysiadau yw <u>$x = -3$</u> ac <u>$x = 1$</u>. (Fel arfer mae gan hafaliadau cwadratig 2 ddatrysiad.)

Y Prawf Hollbwysig:

<u>DYSGWCH FANYLION</u> y dull uchod ar gyfer <u>LLUNIO GRAFFIAU CWADRATIG</u> a <u>DATRYS YR HAFALIAD</u>.

Plotiwch graff $y = x^2 - x - 6$ (defnyddiwch werthoedd x o -4 i 5).
Defnyddiwch eich graff i ddatrys yr hafaliad $x^2 - x - 6 = 0$.

Hafaliadau Cydamserol gyda Graffiau

Hafaliadau cydamserol yw <u>dau hafaliad</u> gyda <u>dau anhysbysyn</u> (e.e. 'x' ac 'y').

Er enghraifft y = x + 3 ac x + y = 6.

Rydych yn <u>eu datrys</u> drwy ddarganfod gwerth ar gyfer 'x' ac ar gyfer 'y' lle bydd y ddau hafaliad yn gywir. Y ffordd hawsaf o bell ffordd i'w datrys (trwy osgoi unrhyw algebra annifyr) yw trwy ddefnyddio <u>graffiau</u>.

Defnyddio Graffiau i Ddatrys *Hafaliadau Cydamserol*

Datrysiad dau hafaliad cydamserol yn syml yw'r gwerthoedd 'x' ac 'y' <u>lle mae eu graffiau yn croesi</u>.

Y *Dull* **Tri Cham**

1) Lluniwch "<u>DABL GWERTHOEDD</u>" ar gyfer y ddau hafaliad.

2) Lluniwch y ddau <u>GRAFF</u>.

3) Darganfyddwch y gwerthoedd x ac y <u>LLE MAEN NHW'N CROESI</u>.

Hawdd

Enghraifft

"Lluniwch y graffiau ar gyfer "y = 2x + 3" ac "y = 6 – 4x" ac yna defnyddiwch eich graffiau i ddatrys yr hafaliadau cydamserol hyn."

1) <u>TABL GWERTHOEDD</u>
   ar gyfer y ddau hafaliad:

X	0	1	2
Y	6	2	-2

X	-2	0	2
Y	-1	3	7

2) <u>LLUNIWCH Y GRAFFIAU</u>:

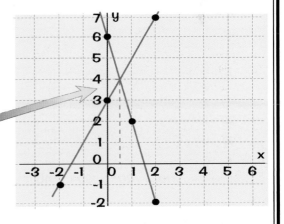

3) <u>YN Y PWYNT LLE MAEN NHW'N CROESI</u>,
   x = ½, y = 4.

   A dyna'r ateb: <u>x = ½ ac y = 4</u>

(Gallwch osod y gwerthoedd hyn yn ôl yn yr hafaliadau gwreiddiol i brofi eu bod yn gywir.)

Y Prawf Hollbwysig:
<u>DYSGWCH</u> y Rheol Syml a'r <u>dull 3 cham</u> ar gyfer <u>datrys hafaliadau cydamserol</u> gan ddefnyddio <u>GRAFFIAU</u>.

1) Cuddiwch y dudalen ac ysgrifennwch y Rheol Syml a'r dull 3 cham.
2) Defnyddiwch graffiau i ddarganfod datrysiadau'r parau hyn o hafaliadau.

   a) y = 4x – 4   ac   y = 6 – x   b) y = 2x   ac   y = 6 – 2x

Graffiau Teithio a Graffiau Trawsnewid

Graffiau Teithio

1) Mae GRAFF TEITHIO bob amser yn graff PELLTER (↑) yn erbyn AMSER (→)

2) Yn y RHANNAU GWASTAD mae'r teithiwr WEDI STOPIO.

3) PO SERTHAF yw'r graff, y CYFLYMAF mae'r teithiwr yn mynd.

4) Pan fydd y graff yn MYND I FYNY, mae'r teithiwr yn teithio I FFWRDD. Pan fydd y graff yn DOD I LAWR, mae'r teithiwr yn DOD YN EI ÔL ETO.

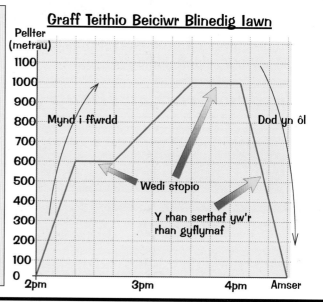

Graff Teithio Beiciwr Blinedig Iawn

Mynd i ffwrdd
Dod yn ôl
Wedi stopio
Y rhan serthaf yw'r rhan gyflymaf

Graffiau Trawsnewid

Mae'r rhain yn wirioneddol hawdd. Yn yr Arholiad rydych yn debygol o gael cwestiwn ar Graffiau Trawsnewid a fydd yn trawsnewid rhwng pethau fel £ → Doleri neu mya → km/awr, ayb.

Mae'r graff hwn yn trawsnewid milltiroedd yn gilometrau

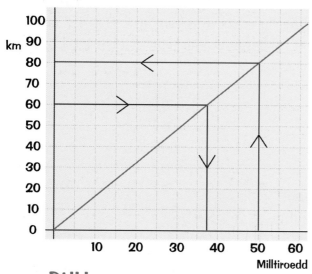

Milltiroedd

2 gwestiwn nodweddiadol:

1) Sawl milltir yw 60 km?

ATEB: Tynnwch linell yn syth ar draws o'r "60" ar yr echelin "km" hyd nes y bydd yn taro'r llinell, yna ewch yn syth i lawr at yr echelin "milltiroedd" a darllenwch yr ateb: 37.5 milltir

2) Sawl km yw 50 milltir?

ATEB: Tynnwch linell yn syth i fyny o "50" ar yr echelin "milltiroedd" hyd nes y bydd yn taro'r llinell, yna ewch yn syth ar draws at yr echelin "km" a darllenwch yr ateb: 80 km

DULL:

1) Tynnwch linell o'r gwerth ar un echelin.

2) Ewch yn eich blaen hyd nes y byddwch yn taro'r LLINELL.

3) Yna newidiwch gyfeiriad a mynd yn syth at yr echelin arall.

4) Darllenwch y gwerth newydd oddi ar yr echelin. Dyna'r ateb.

Cofiwch y 4 cam syml hyn a bydd popeth yn iawn.
Mae graffiau trawsnewid yn hawdd.

Cwestiynau Cyffredin ar Graffiau

Sut i gael Atebion o'ch Graff

1) <u>YN ACHOS CROMLIN NEU LINELL</u>, rydych <u>BOB AMSER</u> yn darganfod yr ateb <u>drwy dynnu llinell syth o un echelin at y graff</u>, ac yna <u>i lawr neu ar draws at yr echelin arall</u>, fel y dangosir yma:

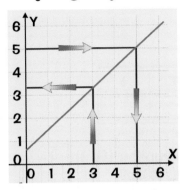

Os bydd y cwestiwn yn dweud "<u>Darganfyddwch werth y pan yw x yn hafal i 3</u>", Y CWBL SYDD RAID I CHI EI WNEUD YW HYN: dechrau ar **3** ar echelin **X**, symud i fyny at linell y graff, yna mynd yn syth ar draws tuag at yr echelin Y a darllen beth yw'r gwerth, sef <u>y = 3.3</u> yn yr achos hwn (fel y gwelir gyferbyn).

2) <u>OS YW DWY LINELL YN CROESI...</u>
gallwch fod yn hollol sicr mai'r ateb ar gyfer un o'r cwestiynau fydd:
<u>GWERTHOEDD X AC Y LLE MAEN NHW'N CROESI</u>, a dylech ddisgwyl hyn hyd yn oed cyn i'r cwestiwn gael ei ofyn! (Gweler tud. 85).

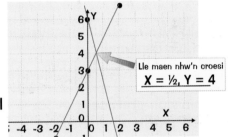

Lle maen nhw'n croesi
<u>X = ½, Y = 4</u>

Beth yw Ystyr Graddiant Graff?

Beth bynnag yw'r graff, mae <u>YSTYR Y GRADDIANT</u> bob amser yr un fath:

(UNEDAU echelin y)   Y/YR   (UNED echelin x)

ENGHREIFFTIAU:

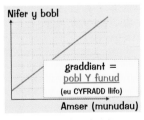

graddiant =
<u>pobl Y funud</u>
(eu CYFRADD llifo)

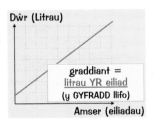

graddiant =
<u>litrau YR eiliad</u>
(y GYFRADD llifo)

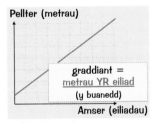

graddiant =
<u>metrau YR eiliad</u>
(y buanedd)

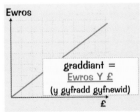

graddiant =
<u>Ewros Y £</u>
(y gyfradd gyfnewid)

Mae gan rai graddiannau enwau arbennig, er enghraifft y <u>Gyfradd Gyfnewid</u> neu'r <u>Buanedd</u>, ond wedi i chi ysgrifennu'r geiriau "<u>rhywbeth Y/YR rhywbeth arall</u>" gan ddefnyddio <u>UNEDAU</u> echelin y ac echelin x, yna mae'n eithaf hawdd gweld yr hyn y mae'r graddiant yn ei gynrychioli.

Y Prawf Hollbwysig:

DYSGWCH y <u>2 Reol syml</u> ar gyfer cael atebion ac <u>ystyr graddiant</u>. Yna cuddiwch y dudalen ... ayb ... ayb

Prawf Adolygu Adran Chwech

YMA DISGWYLIR ICHI ddefnyddio holl ddulliau Adran Chwech i ateb y cwestiynau hyn.

1) Plotiwch y pwyntiau hyn ar grid: A(1,4), B(-4,2), C(-3,-5), D(5,-6), E(5,0)

2) Darganfyddwch ganolbwyntiau segmentau llinell AB, BD ac CE.

3) Cwblhewch y tabl gwerthoedd isod ar gyfer yr hafaliad $y = x + 3$ a lluniwch y graff.

x	-5	-3	-1	0	1	2	4	6
y	-2				4			

4) Darganfyddwch raddiant y llinell syth sy'n mynd drwy'r pwyntiau (0, 1) a (3, 10). Defnyddiwch $y = mx + c$ i ysgrifennu hafaliad y llinell.

5) Dywedwch p'un ai hafaliad llinell syth ynteu hafaliad cwadratig yw pob un o'r canlynol:
   a) $x + 3 = y$ b) $y + x^2 = 2$ c) $y/2 = 1 - 2x$ ch) $y^2 = x$

6) Lluniwch graffiau $y = 2x + 2$ ac $y = \frac{1}{2} x - 1$ yn fanwl gywir a defnyddiwch eich graffiau i ddatrys yr hafaliadau.

7) Mae'r graff teithio a ddangosir ar y dde yn cyfeirio at afr sy'n crwydro ar hyd y ffordd.
   Disgrifiwch beth mae'r afr yn ei wneud

   a) Rhwng 4pm a 6pm
   b) Rhwng 6pm a 7pm
   c) Pa mor bell o'i chartref mae'r afr yn crwydro?
   ch) Am faint o'r gloch mae hi'n cyrraedd adref?

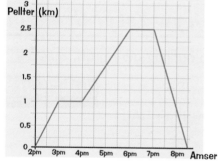

8) Beth oedd buanedd cyfartalog yr afr rhwng 2 pm a 3pm?

9) Defnyddiwch y graff i ddarganfod cyfradd llifo'r gwin.

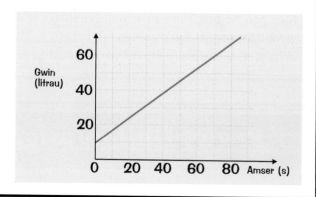

Rhifau Negatif a Llythrennau

Mae pawb yn gwybod <u>RHEOL 1</u>, ond weithiau rhaid defnyddio <u>RHEOL 2</u> yn ei lle, felly gofalwch eich bod yn gwybod y <u>DDWY</u> reol <u>A HEFYD</u> pryd i'w defnyddio.

Rheol 1

Mae	+	+	yn rhoi	+
Mae	+	-	yn rhoi	-
Mae	-	+	yn rhoi	-
Mae	-	-	yn rhoi	+

<u>I'w defnyddio'n unig:</u>

1) Wrth luosi neu rannu

e.e. $-2 \times 3 = -6$, $-8 \div -2 = +4$ $-4p \times -2 = +8p$

2) Pan fydd dau arwydd yn ymddangos ochr yn ochr

e.e. $5 - -4 = 5 + 4 = 9$ $4 + -6 - -7 = 4 - 6 + 7 = 5$

Rheol 2

Defnyddiwch <u>Y LLINELL RIF</u> wrth <u>ADIO NEU DYNNU</u>:

E.e. "Symleiddiwch $4X - 8X - 3X + 6X$"

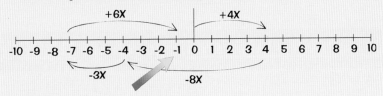

Felly $4X - 8X - 3X + 6X = \underline{-1X}$

Lluosi *Llythrennau â'i Gilydd*

Dyma'r nodiant arbennig a ddefnyddir mewn algebra. Rhaid i chi gofio'r pum rheol hyn:

1) Mae "abc" yn golygu "a × b × c" Yn aml mae'r arwydd × yn cael ei hepgor i wneud pethau'n fwy eglur.

2) Mae "gn^2" yn golygu "g × n × n" Sylwch mai n yn unig sy'n cael ei sgwario, nid g hefyd.

3) Mae "$(gn)^2$" yn golygu "g × g × n × n" Mae'r cromfachau yn golygu bod y <u>DDWY</u> lythyren yn cael eu sgwario.

4) Mae "$p(q - r)^3$" yn golygu "p × (q – r) × (q – r) × (q – r)" Dim ond cynnwys y cromfachau sy'n cael ei giwbio.

5) Mae "-3^2" yn rhy amwys. Dylid ei ysgrifennu un ai fel $(-3)^2 = 9$, neu fel $-(3^2) = -9$.

Y Prawf Hollbwysig:

DYSGWCH y <u>Ddwy Reol</u> ar gyfer rhifau negatif, <u>pryd i ddefnyddio bob un</u>, a'r <u>5 achos arbennig</u> o Lythrennau Wedi eu Lluosi â'i Gilydd.

Yna cuddiwch y dudalen ac <u>ysgrifennwch yr hyn rydych chi wedi ei ddysgu</u>.
1) Ar gyfer cwestiynau a) i ch) penderfynwch ym mhle y dylid defnyddio <u>Rheol 1 a Rheol 2</u>, ac yna cyfrifwch yr atebion. a) -4×-3 b) $-4 + -5 + 3$ c) $(3X + -2X - 4X) \div (2 + -5)$ ch) $120 \div -40$
2) Os yw m = 2 ac n = -3, cyfrifwch y canlynol: a) mn^2 b) $(mn)^3$ c) $m(4+n)^2$ ch) n^3 d) $3m^2n^3 + 2mn$

Pwerau

Mae pwerau yn llaw-fer ddefnyddiol iawn:

$$2×2×2×2×2×2×2 = 2^7 \quad (\text{"dau i'r pŵer 7"})$$
$$7×7 = 7^2 \quad (\text{"7 wedi ei sgwario"})$$
$$6×6×6×6×6 = 6^5 \quad (\text{"Chwech i'r pŵer 5"})$$
$$4×4×4 = 4^3 \quad (\text{"pedwar wedi ei giwbio"})$$

Mae'r darn hwn yn hawdd i'w gofio. Yn anffodus, mae <u>CHWE RHEOL ARBENNIG</u> ar gyfer pwerau ac nid yw'r rhain mor hawdd, ond <u>bydd angen i chi eu gwybod ar gyfer yr Arholiad</u>:

Y Chwe Rheol

Dim ond ar gyfer pwerau o'r <u>UN RHIF</u> y mae'r <u>ddau gyntaf</u> yn gweithio.

1) Wrth <u>LUOSI</u>, rydych yn <u>ADIO</u>'r pwerau.

e.e. $3^4 × 3^6 = 3^{4+6} = 3^{10}$ $\qquad$ $8^3 × 8^5 = 8^{3+5} = 8^8$

2) Wrth <u>RANNU</u>, rydych yn <u>TYNNU</u>'r pwerau.

e.e. $5^4 ÷ 5^2 = 5^{4-2} = 5^2$ $\qquad$ $12^8/12^3 = 12^{8-3} = 12^5$

3) Wrth <u>GODI</u> un pŵer i bŵer arall, rydych yn <u>LLUOSI</u>'r pwerau.

e.e. $(3^2)^4 = 3^{2×4} = 3^8,$ $\qquad$ $(5^4)^6 = 5^{24}$

4) <u>$X^1 = X$, UNRHYW RIF I'R PŴER 1 yw'r RHIF EI HUNAN</u>

e.e. $3^1 = 3,$ $\quad$ $6 × 6^3 = 6^4,$ $\quad$ $4^3 ÷ 4^2 = 4^{3-2} = 4^1 = 4$

5) <u>$X^0 = 1$, UNRHYW RIF I'R PŴER 0 yw 1</u>

e.e. $5^0 = 1$ $\qquad$ $67^0 = 1$ $\qquad$ $3^4/3^4 = 3^{4-4} = 3^0 = 1$

6) <u>$1^x = 1$, 1 I UNRHYW BŴER yw 1</u>

e.e. $1^{23} = 1$ $\qquad$ $1^{89} = 1$ $\qquad$ $1^2 = 1$ $\qquad$ $1^{1012} = 1$

Y Prawf Hollbwysig:

DYSGWCH y <u>Chwe Rheol</u> ar gyfer Pwerau. Yna <u>cuddiwch y dudalen</u> ac <u>ysgrifennwch bopeth</u>. Daliwch ati nes byddwch yn llwyddo!

Yna cuddiwch y dudalen a defnyddiwch y rheolau i <u>SYMLEIDDIO</u>'r canlynol:

1) a) $3^2 × 3^6$ b) $4^3 ÷ 4^2$ c) $(8^3)^4$ ch) $(3^2 × 3^3 × 1^6) / 3^5$ d) $7^3 × 7 × 7^2$
2) a) $5^2 × 5^7 × 5^3$ b) $1^3 × 5^0 × 6^2$ c) $(2^5 × 2 × 2^6) ÷ (2^3 × 2^4)$

Ail Israddau a Thrydydd Israddau

Ail Israddau

Mae "wedi ei sgwario" yn golygu "wedi ei luosi â'i hunan": $P^2 = P \times P$
— AIL ISRADD yw'r broses wedi ei gwrthdroi.

Y ffordd orau o feddwl am y peth yw fel hyn:

Mae "Ail Isradd" yn golygu "Pa Rif wedi ei Luosi â'i Hunan sy'n rhoi ..."

Enghraifft: "Darganfyddwch ail isradd 49" (h.y. "Darganfyddwch $\sqrt{49}$")

I wneud hyn dylech ofyn: "pa rif wedi ei luosi â'i hunan sy'n rhoi 49?"
A'r ateb wrth gwrs yw 7.

Gall Ail Israddau fod yn Bositif neu'n Negatif

Pan ydych yn cyfrifo ail isradd rhif, gall yr ateb fod yn bositif neu'n negatif ... mae gennych bob amser fersiwn bositif a negatif o'r un rhif.

E.e. Mae $x^2 = 4$ yn rhoi $x = \pm\sqrt{4} = +2$ neu -2

Er mwyn deall pam, edrychwch ar beth sy'n digwydd wrth i chi weithio'n ôl drwy sgwario'r atebion:
$$2^2 = 2 \times 2 = 4 \quad \text{ond hefyd} \quad (-2)^2 = (-2) \times (-2) = 4$$

Ar eich cyfrifiannell, mae'n hawdd darganfod unrhyw ail isradd positif gan ddefnyddio'r BOTWM AIL ISRADD: Pwyswch $\sqrt{}$ 49 = = 7

Trydydd Israddau

Mae "wedi ei giwbio" yn golygu "wedi ei luosi â'i hunan dair gwaith": $T^3 = T \times T \times T$
— TRYDYDD ISRADD yw'r broses wedi ei gwrthdroi.

A dweud y gwir dim ond dau arwydd × sydd, ond rydych chi'n gwybod be dwi'n feddwl.

Mae "Trydydd Isradd" yn golygu "Pa Rif wedi ei Luosi â'i Hunan DAIR GWAITH sy'n rhoi ..."

Enghraifft: "Darganfyddwch drydydd isradd 64" (h.y. "Darganfyddwch $\sqrt[3]{64}$")

Dylech ofyn: "Pa rif wedi ei luosi â'i hunan dair gwaith sy'n rhoi... 64?"
Ac ar ôl rhai cynigion, yr ateb yw 4.
(Sylwer — yn wahanol i ail israddau, dim ond un ateb sydd.)

Neu ar eich cyfrifiannell pwyswch y botwm trydydd isradd:
Pwyswch $\sqrt[3]{}$ 64 = = 4

Y Prawf Hollbwysig:

DYSGWCH y 2 osodiad yn y bocsys glas, a'r dulliau gorau o ddarganfod israddau. Yna cuddiwch y dudalen ac ysgrifennwch bopeth.

1) Defnyddiwch eich cyfrifiannell i ddarganfod y canlynol i 2 le degol a) $\sqrt{200}$ b) $\sqrt[3]{8000}$
   Yn a) beth yw'r gwerth arall na ddangosodd eich cyfrifiannell?
2) a) Os yw $g^2 = 36$, darganfyddwch g. b) Os yw $b^3 = 64$, darganfyddwch b.
   c) Os yw $4 \times r^2 = 36$, darganfyddwch r.

Algebra

Mae algebra yn dychryn cymaint o bobl. Ond mewn gwirionedd, nid yw mor ddrwg â hynny. Mae'n rhaid ichi ofalu eich bod yn deall ac yn dysgu'r rheolau sylfaenol hyn i ddelio â mynegiadau algebraidd. Ar ôl hynny, y cwbl sydd ei angen yw ymarfer, ymarfer, ymarfer … ac ychydig o ddiddordeb.

1) *Termau*

Cyn y gallwch wneud dim byd arall, RHAID i chi ddeall beth yw ystyr TERM:

1) TERM YW CASGLIAD O RIFAU, LLYTHRENNAU A CHROMFACHAU, A'R CWBL WEDI EU LLUOSI/RHANNU Â'I GILYDD

2) Mae TERMAU yn cael eu GWAHANU gan ARWYDDION + a −   e.e. $4x^2 - 3py - 5 + 3p$

3) Mae gan DERMAU bob amser naill ai + neu − O'U BLAENAU

4) E.e. $4xy$ $+ 5x^2$ $- 2y$ $+ 6y^2$ $+ 4$

Arwydd + anweledig   term "xy"   term "x²"   term "y"   term "y²"   term "rhif"

2) *Symleiddio*   "Casglu Termau Tebyg"

ENGHRAIFFT: "Symleiddiwch $2x - 4 + 5x + 6$"

$2x$ -4 $+5x$ $+6$ = $+2x$ $+5x$ -4 $+6$

termau x   termau rhif   = $7x$ $+2$ $= 7x + 2$

1) Rhowch swigen am bob term — gofalwch eich bod yn cadw'r arwydd +/- sydd O FLAEN pob term.

2) Yna gallwch symud y "swigod" i'r drefn orau fel y bydd TERMAU TEBYG gyda'i gilydd.

3) Mae gan "DERMAU TEBYG" yr un cyfuniad o lythrennau yn union, e.e. termau x neu dermau xy.

4) Cyfunwch y TERMAU TEBYG gan ddefnyddio'r LLINELL RIF (nid y rheol arall ar gyfer rhifau negatif).

3) *Lluosi Cromfachau*

1) Mae'r hyn sydd y TU ALLAN i'r cromfachau yn lluosi pob term unigol sydd O FEWN y cromfachau.

2) Pan mae llythrennau yn cael eu lluosi â'i gilydd, maent yn cael eu hysgrifennu nesaf at ei gilydd fel hyn: pq.

3) Cofiwch, $R \times R = R^2$, ac mae TY^2 yn golygu $T \times Y \times Y$, tra bo $(TY)^2$ yn golygu $T \times T \times Y \times Y$.

4) Cofiwch fod arwydd minws y tu allan i'r cromfachau YN GWRTHDROI'R HOLL ARWYDDION pan fyddwch yn lluosi.

ENGHRAIFFT: 1) $3(2x + 5) = 6x + 15$ 2) $4p(3r - 2t) = 12pr - 8pt$

3) $-4(3p^2 - 7q^3) = -12p^2 + 28q^3$ ——— (sylwch fod y ddau arwydd wedi eu gwrthdroi – Rheol 4)

Y Prawf Hollbwysig: DYSGWCH yr holl ffeithiau algebra allweddol ar y dudalen hon, yna ceisiwch ateb y cwestiynau hyn i weld sut hwyl gewch chi.

1) Symleiddiwch: a) $5x + 3y - 4 - 2y - x$ b) $3x + 2 + 5xy + 6x - 7$

c) $2x + 3x^2 + 5y^2 + 3x$ ch) $3y - 6xy + 3y + 2yx$

2) Ehangwch: a) $2(x - 2)$ b) $x(5 + x)$ c) $y(y + x)$ ch) $3y(2x - 6)$

Algebra

4) Ehangu a Symleiddio

a) CROMFACHAU DWBL

Rydych yn cael <u>4 term</u> ar ôl y lluosi ac fel arfer bydd <u>2 ohonynt yn cyfuno</u> gan adael <u>3 therm</u>, fel hyn:

$(2P - 4)(3P + 1) = (2P \times 3P) + (2P \times 1) + (-4 \times 3P) + (-4 \times 1)$

$= 6P^2 + 2P - 12P - 4$

$= 6P^2 - 10P - 4$ (mae'r ddau yma'n cyfuno)

b) SGWARIO CROMFACHAU: e.e. $(3x + 5)^2$

Y gamp yw cofio <u>ysgrifennu'r rhain bob amser fel dwy set o gromfachau</u>: $(3x + 5)(3x + 5)$ ac yna gallwch eu cyfrifo yn y dull uchod:

$(3x + 5)^2 = (3x + 5)(3x + 5)$

$= 9x^2 + 15x + 15x + 25 = 9x^2 + 30x + 25$

(Gyda llaw, yr <u>ATEB ANGHYWIR</u> arferol yw $(3x + 5)^2 = 9x^2 + 25$ Gwyliwch rhag hyn!)

5) Ffactorio — rhoi cromfachau i mewn

Mae hyn yn <u>hollol groes</u> i'r broses o luosi cromfachau. Dyma'r dull i'w ddilyn:

1) Ysgrifennwch y <u>RHIF mwyaf</u> y gellir rhannu'r holl dermau ag ef.

2) Ystyriwch bob <u>llythyren</u> yn ei thro ac ysgrifennwch y <u>pŵer mwyaf</u> (e.e. x, x^2, ayb) sy'n gyffredin i BOB term.

3) Agorwch gromfachau ac <u>ysgrifennwch bopeth sydd ei angen i atgynhyrchu pob term.</u>

<u>ENGHRAIFFT:</u> Ffactoriwch $15x^4y + 20x^2y^3z - 35x^3yz^2$

<u>ATEB:</u> $5x^2y(3x^2 + 4y^2z - 7xz^2)$

Y rhif mwyaf y gellir rhannu 15, 20 a 35 ag ef

Pwerau mwyaf x ac y sy'n mynd i mewn <u>i'r tri therm</u>

Nid oedd z ym MHOB term felly nid yw'n <u>ffactor cyffredin</u>

<u>COFIWCH:</u>   1) Y darnau a dynnwyd allan a'u rhoi ar y blaen yw'r <u>ffactorau cyffredin</u>.

           2) Y darnau <u>y tu mewn i'r cromfachau</u> yw'r <u>hyn sydd ei angen i gael y termau gwreiddiol</u> petai rhywun yn lluosi'r cromfachau unwaith eto.

Y Prawf Hollbwysig: DYSGWCH yr holl fanylion am <u>ehangu cromfachau a ffactorio</u>, yna ceisiwch ateb y cwestiynau isod.

1) Ehangwch: a) $(x + 1)(x + 2)$ b) $(y - 3)(y + 4)$ c) $(x + 5)^2$

              ch) $(3x - 1)(x - 4)$ d) $(2x + 1)(x + 2)$ dd) $(2x - 1)^2$

2) Ffactoriwch: a) $5xy + 15x$ b) $5a - 7ab$ c) $12xy + 6y - 36y^2$

Ffurf Indecs Safonol

Mae Ffurf Safonol a Ffurf Indecs Safonol yn golygu'r un peth.
Felly cofiwch y ddau enw hyn yn ogystal â'r ystyr:

Rhif Cyffredin: 4,300,000   Yn y Ffurf Safonol: 4.3×10^6

Mae'r ffurf safonol yn hynod o ddefnyddiol ar gyfer ysgrifennu rhifau mawr iawn neu rifau bach iawn mewn dull mwy cyfleus, e.e.

Byddai 56,000,000,000 yn 5.6×10^{10} yn y ffurf safonol.
Byddai 0.000 000 003 45 yn 3.45×10^{-9} yn y ffurf safonol.

ond gellir ysgrifennu UNRHYW RIF yn y ffurf safonol a dylech wybod sut i wneud hynny:

Dyma beth sydd angen ei wneud:

Rhaid i rif sydd wedi ei ysgrifennu yn y ffurf safonol fod BOB AMSER yn yr UNION ffurf hon:

$$A \times 10^n$$

Mae'n rhaid i'r rhif hwn fod RHWNG 1 a 10 bob amser.
(Y ffordd fathemategol o ddweud hyn yw: "$1 \leqslant A < 10$" — weithiau bydd hyn yn cael ei ddefnyddio mewn cwestiynau arholiad — cofiwch yr ystyr).

Mae'r rhif hwn yn nodi NIFER Y LLEOEDD mae'r Pwynt Degol yn symud.

Dysgwch y Tair Rheol:

1) Rhaid i'r rhif blaen fod RHWNG 1 a 10 bob amser

2) Mae'r pŵer 10, sef n, yn golygu: PA MOR BELL Y MAE'R PWYNT DEGOL YN SYMUD

3) Mae n yn bositif i rifau MAWR,   mae n yn negatif i rifau BACH
   (Mae hyn yn llawer gwell na'r rheolau sydd wedi'u seilio ar ba ffordd mae'r pwynt degol yn symud).

Enghreifftiau:

1) "Mynegwch 35 600 yn y ffurf safonol."

DULL:
1) Symudwch y pwynt degol nes bydd 35 600 yn dod yn 3.56
   ("$1 \leq A < 10$")
2) Mae'r pwynt degol wedi symud 4 lle felly n = 4, sy'n rhoi: 10^4
3) Mae 35600 yn rhif MAWR felly mae n yn +4, nid -4

ATEB:
$3.5600. = 3.56 \times 10^4$

2) "Mynegwch 8.14×10^{-3} fel rhif cyffredin".

DULL:
1) Mae 10^{-3} yn dweud bod yn rhaid i'r pwynt degol symud 3 lle ...

2) ... ac mae'r arwydd "-" yn dweud wrthym am symud y pwynt degol i'w wneud yn rhif BYCHAN. (h.y. 0.00814, yn hytrach nag 8140)

ATEB:
$8.14 = 0.00814$

Ffurf Indecs Safonol

Ffurf Safonol a'r Cyfrifiannell

Fel arfer, mae pobl yn llwyddo i symud y pwynt degol heb fawr o drafferth (er eu bod bob amser yn anghofio "deg i'r pŵer rhywbeth positif" AR GYFER RHIF MAWR a "deg i'r pŵer rhywbeth negatif" AR GYFER RHIF BACH). Fodd bynnag pan fyddant yn defnyddio cyfrifiannell i ddarganfod y ffurf safonol mae rhai yn mynd i helyntion dybryd.

Ond nid yw'r gwaith mor anodd â hynny — dim ond i chi ei ddysgu ...

1) *Mewnbynnu Rhifau Ffurf Safonol* EXP

Y botwm SYDD RAID i chi ei ddefnyddio i fewnbynnu rhifau ffurf safonol i'r cyfrifiannell yw'r botwm EXP (neu'r botwm EE) — ond PEIDIWCH â phwyso X 10 hefyd, fel mae llawer o bobl yn ei wneud, gan fod hynny'n ANGHYWIR.

ENGHRAIFFT: "Mewnbynnwch 2.67×10^{15} i'r cyfrifiannell"

Pwyswch: 2.67 EXP 15 = a bydd y sgrin yn dangos 2.67^{15}

Sylwch mai'r UNIG fotwm sydd raid i chi ei BWYSO yw EXP (neu EE) — NID YDYCH YN PWYSO X na 10 o gwbl.

2) *Darllen Rhifau Ffurf Safonol:*

Y prif beth sydd raid i chi ei gofio wrth ysgrifennu unrhyw rif ffurf safonol sydd ar sgrin cyfrifiannell yw ychwanegu "×10" eich hun. PEIDIWCH ag ysgrifennu beth sy'n ymddangos ar y sgrin yn unig.

ENGHRAIFFT: "Ysgrifennwch y rhif 7.986^{05} fel ateb terfynol."

Fel ateb terfynol rhaid ysgrifennu hwn fel 7.986×10^5.

NID 7.986^5 ydyw, felly PEIDIWCH â'i ysgrifennu felly — mae'n rhaid i CHI roi'r $\times 10^n$ i mewn eich hun, er nad yw'n ymddangos o gwbl ar y sgrin. Mae llawer yn anghofio hyn.

Y Prawf Hollbwysig:
DYSGWCH y Tair Rheol a'r Ddau Ddull Cyfrifiannell, yna cuddiwch y dudalen ac ysgrifennwch nhw.

Nawr cuddiwch y ddwy dudalen ac atebwch y canlynol:
1) Rhowch y Tair Rheol ar gyfer ffurf safonol.
2) Mynegwch 958,000 yn y ffurf indecs safonol.
3) Mynegwch 0.00018 yn y ffurf indecs safonol.
4) Mynegwch 4.56×10^3 fel rhif cyffredin.
5) Cyfrifwch y canlynol gan ddefnyddio eich cyfrifiannell: $3.2 \times 10^{12} \div 1.6 \times 10^{-9}$, ac ysgrifennwch yr ateb, yn gyntaf yn y ffurf safonol ac yna fel rhif cyffredin.

Patrymau Rhif a Dilyniannau

Mae pum math o ddilyniannau rhif y gallech eu cael yn yr arholiad. Nid ydynt yn anodd — CYN BELLED Â'CH BOD YN YSGRIFENNU BETH SY'N DIGWYDD YM MHOB BWLCH.

1) "*Adio neu Dynnu'r Un Rhif*"

Y GYFRINACH yw ysgrifennu'r gwahaniaeth yn y bylchau rhwng pob pâr o rifau:

E.e.   2   5   8   11   14   ...   30   24   18   12   ...
          +3   +3   +3   +3   +3   - 6   -6   -6   -6

Y RHEOL: "Adiwch 3 at y term blaenorol"   "Tynnwch 6 o'r term blaenorol"

2) "*Adio neu Dynnu Rhif sy'n Newid*"

Eto, YSGRIFENNWCH Y NEWID YN Y BYLCHAU, fel y dangosir yma:

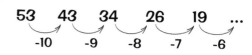

E.e. 8   11   15   20   26   ...   neu   53   43   34   26   19   ...
        +3   +4   +5   +6   +7   -10   -9   -8   -7   -6

Y RHEOL: "Adiwch 1 yn fwy bob tro at y term blaenorol"   "Tynnwch 1 yn llai bob tro o'r term blaenorol"

3) *Lluosi â'r Un Rhif bob Tro*

Mae gan y math hwn yr un LLUOSYDD yn cysylltu pob pâr o rifau:

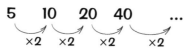

E.e.   5   10   20   40   ...   2   6   18   54   ...
         ×2   ×2   ×2   ×2   ×3   ×3   ×3   ×3

Y RHEOL: "Lluoswch y term blaenorol â 2"   "Lluoswch y term blaenorol â 3"

4) *Rhannu â'r Un Rhif bob Tro*

Mae gan y math hwn yr un RHANNYDD rhwng bob pâr o rifau:

E.e.   400 200   100   50   ...   40 000 4000 400   40   ...
          ÷2   ÷2   ÷2   ÷2   ÷10   ÷10   ÷10   ÷10

Y RHEOL: "Rhannwch y term blaenorol â 2"   "Rhannwch y term blaenorol â 10"

5) *Adio'r Ddau Derm Blaenorol*

Cawn y math hwn o ddilyniant drwy adio'r ddau rif blaenorol i gael y rhif nesaf.

E.e.   1   1   2   3   5   8   13   ...   2   4   6   10   16   ...
            1+1 1+2 2+3 3+5 5+8 8+13   2+4 4+6 6+10 10+16

Y RHEOL: "Adiwch y ddau derm blaenorol"

Patrymau Rhif a Dilyniannau

"Mynegwch y rheol ar gyfer estyn y patrwm"

Mae hwn yn gwestiwn cyffredin mewn <u>Arholiadau</u> ac mae'n ddigon syml, cyn belled â'ch bod yn cofio hyn:

> Dywedwch BOB AMSER beth rydych yn ei wneud i'r <u>TERM BLAENOROL</u> i gael y term nesaf.

Mae'r rheol ar gyfer estyn patrwm yr holl ddilyniannau rhif ar y dudalen gyferbyn, wedi ei hysgrifennu yn y bocs oddi tanynt. Sylwch eu bod i gyd yn cyfeirio at y <u>term blaenorol</u>.

Darganfod yr nfed rhif:

Mewn rhai cwestiynau Arholiad, efallai y bydd gofyn i chi "roi mynegiad ar gyfer yr nfed rhif yn y dilyniant." Dim ond yn achos dilyniant 'math 1' (lle mae'r un rhif yn cael ei adio neu ei dynnu) y bydd rhaid ichi wneud hyn. Nid yw mor anodd â hynny oherwydd ceir fformiwla syml:

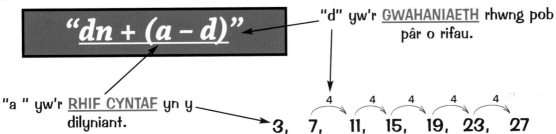

"d" yw'r <u>GWAHANIAETH</u> rhwng pob pâr o rifau.

"dn + (a – d)"

"a " yw'r <u>RHIF CYNTAF</u> yn y dilyniant.

$$3, \quad 7, \quad 11, \quad 15, \quad 19, \quad 23, \quad 27$$

I gael yr <u>nfed term</u>, rydych yn <u>darganfod gwerthoedd "a" a "d" o'r dilyniant a'u rhoi yn y fformiwla</u>. Nid ydych yn amnewid n fodd bynnag — mae angen i hwn aros yn n. Wrth gwrs mae'n rhaid i chi <u>ddysgu'r fformiwla. Tydi bywyd yn boen</u>?

Enghraifft: "Darganfyddwch nfed rhif y dilyniant hwn: 5, 8, 11, 14, ..."

<u>ATEB</u>:
1) Y fformiwla yw dn + (a – d)
2) Y rhif cyntaf yw 5, felly <u>a = 5</u>. Y gwahaniaeth cyffredin yw 3, felly <u>d = 3</u>
3) Wrth roi'r rhain yn y fformiwla cawn: 3n + (5 – 3) = 3n + 2

Felly'r <u>nfed rhif ar gyfer y dilyniant hwn yw</u>:   "3n + 2"

Y Prawf Hollbwysig:

DYSGWCH y <u>5 math o batrymau rhif</u> a'r fformiwla ar gyfer darganfod yr nfed rhif.

1) Darganfyddwch y ddau rif nesaf ym mhob un o'r dilyniannau hyn, a dywedwch <u>mewn geiriau</u>, beth yw'r rheol ar gyfer estyn pob un:
   a) 2, 5, 9, 14 ....   b) 2, 20, 200 ....   c) 64, 32, 16, 8 ...

2) Darganfyddwch y mynegiad ar gyfer yr nfed rhif yn y dilyniant hwn: 7,   9,   11,   13

Gwneud Fformiwlâu o Eiriau

Gall y rhain swnio'n ddryslyd braidd ond nid ydynt mor ddrwg â hynny unwaith y byddwch yn gwybod y "triciau". Mae dau brif fath.

Math 1

Yn y math hwn mae <u>cyfarwyddiadau ynglŷn â beth i'w wneud â rhif</u>, a rhaid i chi ei ysgrifennu fel <u>fformiwla</u>. Yr unig bethau y bydd angen i chi eu gwneud fydd:

1) Lluosi x   2) Rhannu x   3) Sgwario x (x^2)   4) Adio neu dynnu rhif

ENGHRAIFFT 1:   "Er mwyn darganfod y, lluoswch x â thri ac yna tynnwch bedwar"

ATEB: Dechrau ag x $\rightarrow$ **3x** $\rightarrow$ **3x – 4**   **felly $\underline{y = 3x - 4}$**

                    Lluosi â 3   Tynnu 4   (hawdd!)

ENGHRAIFFT 2:   Dyma'r math anoddaf fyddech chi'n ei gael:

"Er mwyn darganfod y, sgwariwch x, rhannwch hyn â thri ac yna tynnwch saith. Ysgrifennwch fformiwla ar gyfer y".

ATEB: Dechrau ag x $\rightarrow$ x^2 $\rightarrow$ $\dfrac{x^2}{3}$ $\rightarrow$ $\dfrac{x^2}{3} - 7$

                    Ei sgwario   Rhannu â 3   Tynnu 7

$$Y = \frac{x^2}{3} - 7$$

Dydyn nhw ddim yn anodd!

Math 2

Mae hyn ychydig yn anoddach. <u>Mae'n rhaid i chi lunio fformiwla</u> gan roi llythrennau fel "C" am "cost" neu "n" am "nifer". Er eu bod yn ymddangos yn gymhleth, <u>mae'r fformiwlâu bob amser yn SYML IAWN</u>. Felly cofiwch roi cynnig arnynt.

ENGHRAIFFT: Mae "BYRGYRS SIOCLED" Cwmni Saws Sosi (byrgyrs cig eidion wedi'u gorchuddio â siocled — ddim ar gael ym mhobman) yn costio 58 ceiniog yr un. Ysgrifennwch fformiwla ar gyfer cyfanswm y gost, C, o brynu n "BYRGYR SIOCLED" am 58c yr un.

Ateb: Mae C yn cynrychioli cyfanswm y gost
          Mae n yn cynrychioli nifer y "BYRGYRS SIOCLED"

Dyma'r fformiwla mewn geiriau: Cyfanswm y Gost = Nifer y "BYRGYRS SIOCLED" × 58c

Mewn llythrennau: C = n × 58   neu'n well <u>C = 58n</u>

Y Prawf Hollbwysig:

1) Mae gwerth y yn cael ei ddarganfod drwy gymryd x, ei luosi â phump ac yna tynnu tri. Ysgrifennwch fformiwla ar gyfer y yn nhermau x.

2) Un o'r cwmnïau sy'n cystadlu yn erbyn "Cwmni Saws Sosi" yw "Cwmni Hoelion Wyth" sy'n gwerthu cawl blasus am 95c y tun. Ysgrifennwch fformiwla ar gyfer cyfanswm cost, C (mewn ceiniogau) n tun o'r Cawl Hoelion Wyth.

Cawl Hoelion Wyth

Amnewid Gwerthoedd mewn Fformiwlâu

Mae'r pwnc hwn yn llawer haws nag ydych chi'n feddwl!	$F = \frac{9}{5}C + 32$

ENGHRAIFFT: Defnyddiwch y fformiwla uchod i drawsnewid 15°C o Celsius (C) yn Fahrenheit (F).

Dull

Os nad ydych yn dilyn y DULL PENDANT hwn byddwch yn dal i wneud camgymeriadau — mae pethau mor syml â hynny!

1) Ysgrifennwch y Fformiwla   e.e. $F = \frac{9}{5}C + 32$

2) Ysgrifennwch y fformiwla eto, yn union o dan y gyntaf, ond y tro hwn gan roi'r rhifau yn lle'r llythrennau ar yr ochr dde. $F = \frac{9}{5}15 + 32$

3) Cyfrifwch GAM WRTH GAM.
Defnyddiwch CORLAT i gyfrifo pethau YN Y DREFN GYWIR.
YSGRIFENNWCH werthoedd ar gyfer pob rhan wrth ichi fynd ymlaen.

$F = 27 + 32$
$= 59$
$F = 59°$

4) PEIDIWCH â cheisio gwneud popeth ar yr un pryd ar eich cyfrifiannell. Mae hynny'n ddull gwirion iawn sy'n methu hanner yr amser!

CORLAT

Cromfachau, O (flaen), Rhannu, Lluosi, Adio, Tynnu

Mae CORLAT yn rhoi'r DREFN gywir i gyfrifo pethau: Cyfrifwch y Cromfachau yn gyntaf, yna pethau eraill fel sgwario, yna Rhannwch/Lluoswch grwpiau o rifau cyn Adio/Tynnu. Mae'r set hon o reolau yn gweithio'n dda iawn mewn achosion syml, felly cofiwch y gair CORLAT.

ENGHRAIFFT: Rhoddir rhif anhysbys T gan: $T = (P - 7)^2 + 4R/Q$
Darganfyddwch werth T pan yw P = 4, Q = -2 ac R = 3

ATEB:
1) Ysgrifennwch y fformiwla: $T = (P - 7)^2 + 4R/Q$
2) Rhowch y rhifau i mewn: $T = (4 - 7)^2 + 4\times3/-2$
3) Yna cyfrifwch gam wrth gam: $= (-3)^2 + 12/-2$
$= 9 + -6$
$= 9 - 6 = 3$

Sylwer CORLAT ar waith:

Y cromfachau yn cael eu cyfrifo'n gyntaf, yna eu sgwario. Symiau lluosi a rhannu yn cael eu gwneud cyn adio a thynnu yn olaf.

Y Prawf Hollbwysig:

DYSGWCH 4 Cam y Dull Amnewid ac ystyr llawn CORLAT. Yna cuddiwch y dudalen ...

... ac ysgrifennwch bopeth oddi ar eich cof. 1) Daliwch i ymarfer yr enghraifft uchod nes byddwch yn gallu ei gwneud heb gymorth. 2) Os yw C = $\frac{5}{9}$(F - 32), darganfyddwch werth C pan yw F = 77.

Datrys Hafaliadau

Dangosir y "ffordd gywir" o ddatrys hafaliadau ar y dudalen nesaf. Yn ymarferol, gall y "ffordd gywir" fod yn eithaf anodd felly mae llawer i'w ddweud o blaid defnyddio dulliau sy'n llawer haws — gweler isod.

Anfantais y rhain yw na ellir eu defnyddio bob amser wrth ddelio â hafaliadau cymhleth iawn. Yn y rhan fwyaf o gwestiynau Arholiad fodd bynnag, maen nhw'n gwneud y tro'n iawn.

1) Y Dull Synnwyr Cyffredin

Yma, y gamp yw sylweddoli mai dim ond rhif anhysbys yw "x" ac mai dim ond cliw cryptig sy'n eich helpu i'w ddarganfod yw'r "hafaliad"

Enghraifft: "Datryswch yr hafaliad hwn: $3x + 4 = 46$"

(h.y. darganfyddwch pa rif yw x)

Ateb: Dyma'r hyn y dylech ei ddweud wrthych chi eich hun:

"Mae rhywbeth + 4 = 46" Felly, mae'n rhaid bod y "rhywbeth" hwn yn 42.

Felly rhaid bod $3x = 42$, sy'n golygu "3 gwaith rhywbeth = 42"

Felly mae'n rhaid ei fod yn $42 ÷ 3$ sy'n 14 felly mae $x = 14$"

Mewn geiriau eraill, peidiwch â meddwl am y peth yn nhermau algebra ond yn nhermau "Darganfyddwch y rhif anhysbys".

2) Y Dull Cynnig a Gwella

Mae'r dull hwn yn hollol dderbyniol, ac er na fydd yn gweithio bob amser, mae'n gwneud fel arfer, yn enwedig os yw'r ateb yn rhif cyfan.

Cyfrinach fawr dulliau cynnig a gwella yw darganfod DAU GANLYNIAD DIRGROES a dal ati i gymryd gwerthoedd RHYNGDDYNT.

Mewn geiriau eraill, darganfod rhif sy'n gwneud yr Ochr Dde yn fwy, ac yna darganfod rhif sy'n gwneud yr Ochr Chwith yn fwy. Wedyn cynnig gwerthoedd rhyngddynt.

Enghraifft: "Darganfyddwch x: $3x + 5 = 21 - 5x$"

(h.y. darganfyddwch y rhif x)

Ateb:

Cynigiwch x = 1: $3 + 5 = 21 - 5$, $8 = 16$ — anghywir, Ochr Dde yn rhy fawr

Cynigiwch x = 3: $9 + 5 = 21 - 15$, $14 = 6$ — anghywir, Ochr Chwith yn rhy fawr

FELLY CYNIGIWCH WERTH RHYNGDDYNT: x = 2: $6 + 5 = 21 - 10$, $11 = 11$, CYWIR, felly $x = 2$.

Y Prawf Hollbwysig:

DYSGWCH y ddau ddull hyn nes gallwch guddio'r dudalen ac ysgrifennu popeth gan roi enghraifft o bob un.

1) Datryswch: $4x - 12 = 20$ 2) Datryswch: $3x + 5 = 5x - 9$

Datrys Hafaliadau

Nid yw'r ffordd "gywir" o ddatrys hafaliadau yn anodd, ond mae angen digon o ymarfer.

3) Y Ffordd "Gywir"

Rheolau Aur

1) Gwnewch yr <u>UN PETH</u> i <u>ddwy ochr yr hafaliad</u> bob tro.
2) Er mwyn cael gwared o rywbeth, gwnewch y <u>gwrthwyneb</u>.
   Gwrthwyneb + yw – a gwrthwyneb – yw +.
   Gwrthwyneb × yw ÷ a gwrthwyneb ÷ yw ×.
3) Daliwch ati nes bydd gennych lythyren <u>ar ei phen ei hun</u>.

ENGHRAIFFT 1: Datryswch $5x = 15$

$$5x = 15$$
$$\underline{x = 3}$$

Mae $5x$ yn golygu $5 \times x$, felly gwnewch y gwrthwyneb — rhannwch y ddwy ochr â 5.

ENGHRAIFFT 2 Datryswch $p/3 = 2$

$$p/3 = 2$$
$$\underline{p = 6}$$

Mae $p/3$ yn golygu $p \div 3$, felly gwnewch y gwrthwyneb — lluosi'r ddwy ochr â 3.

ENGHRAIFFT 3 Datryswch $4y - 3 = 17$

$$4y - 3 = 17$$
$$4y = 20$$
$$\underline{y = 5}$$

Gwrthwyneb -3 yw +3 felly adiwch 3 at y ddwy ochr.

Gwrthwyneb ×4 yw ÷4 felly rhannwch y ddwy ochr â 4.

ENGHRAIFFT 4 Datryswch $2(x + 3) = 11$

$$2(x + 3) = 11$$
$$x + 3 = 5.5$$
$$\underline{x = 2.5}$$

Gwrthwyneb ×2 yw ÷2 felly rhannwch y ddwy ochr â 2.

Gwrthwyneb +3 yw -3 felly tynnwch 3 o'r ddwy ochr.

ENGHRAIFFT 5 Datryswch $3x + 5 = 5x + 1$

mae llythrennau x ar y ddwy ochr, felly tynnwch 3x o'r ddwy ochr.

gwrthwyneb +1 yw -1, felly tynnwch 1 o'r ddwy ochr.

gwrthwyneb ×2 yw ÷ 2, felly rhannwch y ddwy ochr â 2.

$$3x + 5 = 5x + 1$$
$$5 = 2x + 1$$
$$4 = 2x$$
$$\underline{2 = x}$$

4) Aildrefnu Fformiwlâu

Rydych yn gwneud hyn yn union yr un ffordd ag yr ydych yn datrys hafaliadau — edrychwch ...

ENGHRAIFFT 6 Aildrefnwch y fformiwla $q = 3p + 4$ i wneud p yn destun:

Gwrthwyneb + 4 yw -4 felly tynnwch 4 o'r ddwy ochr.

Gwrthwyneb ×3 yw ÷3 felly rhannwch y ddwy ochr â 3.

$$q = 3p + 4$$
$$q - 4 = 3p$$
$$\frac{q - 4}{3} = p$$

Y Prawf Hollbwysig:

1) Datryswch yr hafaliadau hyn: a) $3x + 1 = 13$ b) $q/4 = 8$ c) $5y + 4 = 2y - 2$

2) Aildrefnwch y fformiwla hon i wneud b yn destun: $2(b - 3) = a$

Cynnig a Gwella

Mae hon yn ffordd dda o ddarganfod atebion bras i hafaliadau nad ydynt yn rhoi atebion rhif cyfan syml. Er mai'r egwyddor o brofi a phrofi eto sydd yma, mae <u>dull clir</u> sydd raid ichi ei <u>ddysgu</u> os ydych eisiau llwyddo ...

Dull

1) <u>RHOWCH DDAU WERTH CYCHWYNNOL</u> yn yr hafaliad sy'n rhoi <u>CANLYNIADAU DIRGROES</u>.

2) Dewiswch eich gwerth nesaf <u>RHWNG</u> y ddau werth blaenorol, a <u>RHOWCH HWN</u> yn yr hafaliad.

3) Ar ôl 3 neu 4 cam yn unig dylech gael <u>2 RIF</u> sydd i'r radd gywir o fanwl gywirdeb ond sy'n <u>GWAHANIAETHU O 1 YN Y DIGID OLAF</u>.

4) Nawr, rydych yn cymryd yr <u>UNION WERTH CANOL</u> i benderfynu pa un yw'r ateb sydd ei angen.

Mae canlyniadau dirgroes yn golygu bod <u>un ateb yn rhy fawr, a'r llall yn rhy fychan</u>. Os nad ydynt yn rhoi canlyniadau dirgroes, <u>rhowch gynnig arall arni</u>.

<u>Daliwch ati i wneud hyn</u>, gan ddewis gwerthoedd newydd <u>rhwng y ddau werth sy'n arwain at y canlyniadau dirgroes agosaf</u>, (ac os yn bosibl yn nes at y gwerth sydd agosaf at yr ateb rydych chi eisiau).

E.e. pe byddai rhaid ichi roi'r ateb i 2 le degol, yn y diwedd byddech yn gorffen gyda <u>5.43</u> a <u>5.44</u>, dyweder, a byddai'r rhain yn rhoi canlyniadau <u>DIRGROES</u>.

E.e. yn achos 5.43 a 5.44, byddech yn cynnig 5.435 i weld a yw'r gwerth cywir <u>rhwng 5.43 a 5.435</u> neu rhwng <u>5.435 a 5.44</u>.

Enghraifft

"Mae datrysiad yr hafaliad $x^3 + x = 40$ rhwng 3 a 3.5. Darganfyddwch y datrysiad hwn i 1 lle degol."

Cynigiwch $x = 3$ $3^3 + 3 = 30$ (Rhy fach)
Cynigiwch $x = 3.5$ $3.5^3 + 3.5 = 46.375$ (Rhy fawr)

← *(2 ganlyniad dirgroes)*

Y canlyniad sydd ei angen yw 40, sydd yn nes at 46.375 nag at 30 felly dewiswch werth arall x sy'n agosach at 3.5 nag at 3.

Cynigiwch $x = 3.3$ $3.3^3 + 3.3 = 39.237$ (Rhy fach)

Da iawn, mae hyn yn agos iawn, ond rhaid gweld a yw 3.4 yn dal i roi canlyniad rhy fawr neu rhy fach:

Cynigiwch $x = 3.4$ $3.4^3 + 3.4 = 42.704$ (Rhy fawr)

Da iawn, nawr gwyddom <u>fod yn rhaid bod yr ateb rhwng 3.3 a 3.4</u>.
Er mwyn darganfod pa un o'r rhain yw'r agosaf, rhaid cynnig yr <u>UNION WERTH CANOL</u>: 3.35

Cynigiwch $x = 3.35$ $3.35^3 + 3.35 = 40.945$ (Rhy fawr)

Mae hyn yn dangos yn sicr bod yn rhaid bod y datrysiad rhwng 3.3 (rhy fach) a 3.35 (rhy fawr), ac felly i 1 lle degol <u>rhaid talgrynnu i lawr i 3.3</u>. <u>ATEB = 3.3</u>

Y Prawf Hollbwysig:

"DYSGWCH a CHUDDIWCH" — os nad ydych yn mynd i <u>gofio hyn</u>, yna roedd yn wastraff amser darllen y dudalen.

Er mwyn meistroli'r dull hwn, rhaid i chi <u>DDYSGU</u>'r 4 cam uchod. Gwnewch hynny'n awr, a dal ati i ymarfer nes gallwch <u>eu hysgrifennu heb orfod troi yn ôl at y nodiadau</u>. Nid yw mor anodd ag y mae'n ymddangos.
Mae datrysiad yr hafaliad $x^3 - 2x = 1$ rhwng 1 a 2. Darganfyddwch hwn i 1 lle degol.

Anhafaleddau

A dweud y gwir mae'r gwaith hwn yn eithaf anodd, ond er hynny mae'n werth dysgu'r rhannau hawdd rhag ofn i chi gael cwestiwn hawdd yn yr Arholiad. Dyma'r rhannau hawdd:

Y 4 Symbol Anhafaledd:

Mae > yn golygu "Yn fwy na"   Mae ≥ yn golygu "Yn fwy na neu'n hafal i "

Mae < yn golygu "Yn llai na"   Mae ≤ yn golygu "Yn llai na neu'n hafal i"

COFIWCH, yr un ar y pen AGORED yw'r MWYAF

felly mae "x > 4" ac "4 < x" yn golygu: "Bod x yn fwy na 4"

Algebra ag Anhafaleddau   — fel arfer mae hwn braidd yn gymhleth

Yr hyn sydd raid i chi ei gofio yw bod anhafaleddau yn debyg iawn i hafaliadau cyffredin:

$$5x < x + 2$$
$$5x = x + 2$$

yn yr ystyr bod holl reolau arferol algebra yn dal i weithio (gweler tud. 101) …

… AR WAHÂN I UN EITHRIAD PWYSIG:

Bob tro rydych yn LLUOSI NEU'N RHANNU Â RHIF NEGATIF, mae'n rhaid i chi DROI'R ARWYDD ANHAFALEDD O CHWITH.

Enghraifft: "Datryswch 5x < 6x + 2"

ATEB: Yn gyntaf tynnwch 6x o'r ddwy ochr: $5x - 6x < 2$

ac wrth gyfuno'r termau x cewch: $-x < 2$

Er mwyn cael gwared o'r "−" o flaen yr x mae angen i chi rannu'r ddwy ochr â -1 — ond cofiwch fod hyn yn golygu bod yn rhaid troi'r "<" o chwith hefyd, sy'n rhoi:

$x > -2$ h.y. yr ateb yw "Mae x yn fwy na -2"

(Mae'r < wedi ei droi o chwith i roi >, gan ein bod wedi rhannu â rhif negatif)

Gellir dangos yr ateb hwn, $x > -2$, fel rhanbarth tywyll ar linell rif fel hyn:

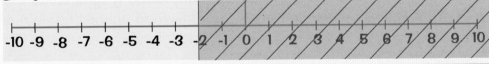

Y prif beth y dylech ei sylweddoli yw mai'r cwbl sydd raid ei wneud Y RHAN FWYAF O'R AMSER yw trin yr "<" neu'r ">" fel arwydd "=", a dal ati i wneud yr algebra arferol fyddech chi'n ei wneud â hafaliadau cyffredin. Nid yw'r "Eithriad Pwysig" yn dod i'r golwg yn aml o gwbl.

Y Prawf Hollbwysig: DYSGWCH: Y 4 Symbol Anhafaledd, y tebygrwydd rhyngddynt a HAFALIADAU a'r Un Eithriad Pwysig.

1) Datryswch yr anhafaledd hwn: $4x + 3 \leq 6x + 7$.
2) Datryswch yr anhafaleddau a darganfyddwch werthoedd cyfanrifol x sy'n bodloni
   $2x + 9 \geq 1$ a $4x < 6 + x$

Prawf Adolygu Adran Saith

<u>YMA DISGWYLIR I CHI</u> ddefnyddio'r holl ddulliau rydych wedi eu dysgu yn Adran Saith i ateb y cwestiynau hyn.

1) Cyfrifwch: a) -3 × -2   b) -4 × 8   c) 12 ÷ -4   ch) -20 ÷ -4

2) Cyfrifwch werth y canlynol: a) 6^4 b) 7^5 c) 4 wedi ei sgwario
ch) 12^5 d) $5^3 \times 4^7$ dd) 8 wedi ei giwbio

3) <u>Heb ddefnyddio</u> cyfrifiannell, darganfyddwch holl atebion posibl a) $\sqrt{256}$ b) $\sqrt[3]{216}$.

4) <u>Symleiddiwch</u> yr hafaliad: $3x + 4y + 2x - 4y$

5) <u>Ehangwch</u> y mynegiadau hyn: a) $4(3g + 5h - 1)$ b) $(x+2)(x-6)$

6) <u>Ffactoriwch</u> (tynnwch ffactorau cyffredin) y mynegiad hwn: $2x + 6xy$.

7) Ysgrifennwch 35 600 000 000 yn y <u>ffurf safonol</u>.

8) Darganfyddwch <u>ddau derm nesaf</u> y dilyniannau rhif canlynol:
a) 3, 7, 11, 15, ...   b) 36, 28, 21, 15, 10, ...
c) 3, 6, 12, 24, ...   ch) 1200, 600, 300, ...
d) 2, 5, 7, 12, 19, ...
Ar gyfer pob dilyniant, dywedwch beth yw'r <u>rheol</u> ar gyfer estyn y patrwm.

9) Cyfrifwch y mynegiad ar gyfer yr <u>nfed rhif</u> yn y dilyniant hwn: 1, 5, 9, 13, ...

10) "Er mwyn darganfod 'y' rydych yn dyblu 'x' ac yn adio 4."
Ysgrifennwch hyn fel <u>fformiwla</u>.

11) Darganfyddwch x os yw $3^x = 81$ (Defnyddiwch y <u>dull cynnig a gwella</u>)

12) Gan ddefnyddio'r fformiwla $F = \frac{9}{5}C + 32$, darganfyddwch y tymheredd mewn °F pan yw'n 30°C. A fyddai'n ddiwrnod poeth, yn ddiwrnod cynnes ynteu'n ddiwrnod oer?

13) <u>Datryswch</u> yr hafaliadau hyn:
a) $2x + 3 = 7$ b) $33 - 4x = 7x$ c) $5(x + 5) = -10$

14) Ar gyfer pob un o'r rhain, gwnewch <u>y yn destun</u>:
a) $6 - y = x$ b) $11 + 2y = x$ c) $y/3 = 7x + 3$

15) Os yw $x^2 = 30$, darganfyddwch x yn gywir i un lle degol. (<u>Cynnig a gwella</u>)

16) Datryswch yr <u>anhafaleddau</u> hyn:
a) $5x < 25$ b) $20 - 5x > 25$ c) $-6x < 30$ ch) $10x > 170 - 7x$

ADRAN SAITH — ALGEBRA

Atebion

Adran Un – Profion Hollbwysig

T.1 Rhifau Mawr:

1)a) Un filiwn, dau gant tri deg pedwar mil, pum cant tri deg un

b) Dau ddeg tri mil, pedwar cant pum deg chwech **c)** Dwy fil, pedwar cant un deg pump

ch) Tair mil, pedwar cant a dau **d)** Dau gant a thri mil, pedwar cant un deg dau

2) 56, 421   **3)** 9, 23, 87, 345, 493, 1029, 3004   **4)** 0.008, 0.09, 0.1, 0.2, 0.307, 0.37

T.2 Lluosi â 10, 100, 1000: 1a) 1230 **b)** 3450 **c)** 9650   **2a)** 48 **b)** 450 **c)** 180 000

T.3 Rhannu â 10, 100, 1000: 1a) 0.245 **b)** 6.542 **c)** 0.00308   **2a)** 1.6 **b)** 12 **c)** 5

T.4-5 Lluosi a Rhannu heb gyfrifiannell: 1) 336 **2)** 616 **3)** 832 **4)** 12 **5)** 121 **6)** 12 **7)** 179.2

8) 6.12 **9)** 56.1 **10)** 56 **11)** 46 **12)** 12

T.6 Dilyniannau Rhif Arbennig:

   1)a) EILRIFAU: 2,4,6,8,10,12,14,16,18,20,22,24,26,28,30

   b) ODRIFAU: 1,3,5,7,9,11,13,15,17,19,21,23,25,27,29

   c) RHIFAU SGWÂR: 1,4,9,16,25,36,49,64,81,100,121,144,169,196,225

   ch) RHIFAU CIWB:1,8,27,64,125,216,343,512,729,1000,1331,1728,2197,2744,3375

   d) PWERAU 2: 2, 4, 8, 16, 32, 64, 128, 256, 512, 1024, 2048, 4096, 8192, 16384, 32768;

   PWERAU 10: 10, 100, 1000, 10 000, 100 000, 1 000 000, 10 000 000, 100 000 000, 1 000 000 000,

   10 000 000 000, 100 000 000 000, 1 000 000 000 000, 10 000 000 000 000, 100 000 000 000 000,

   1 000 000 000 000 000 hmm...

   dd) Rhifau TRIONGL: 1,3,6,10,15,21,28,36,45,55,66,78,91,105,120   **2) a)** 56, 134, 156, 36, 64

   b) 23, 45, 81, 25, 97, 125, 1   **c)** 81, 25, 36, 1, 64   **ch)** 125, 1, 64   **d)** 1, 64   **dd)** 45, 36, 1

T.7 Rhifau cysefin: 1) 2,3,5,7,11,13,17,19,23,29,31,37,41,43,47

2) 97, 101, 103, 107, 109

T.8 Lluosrifau, Ffactorau, Ffactorau Cysefin: 1) 7,14,21,28,35,42,49,56,63,70 a

9,18,27,36,45,54,63,72,81,90   **2)** 1,2,3,4,6,9,12,18,36 a 1,2,3,4,6,7,12,14,21,28,42,84

3)a) 990 = 2x3x3x5x11   **b)** 160 = 2x2x2x2x2x5

T.9 LlCLl ac FfCM: 1) 8,16,24,32,40,48,56,64,72,80 a 9,18,27,36,45,54,63,72,81,90   LlCLl = 72

2) 1,2,4,7,8,14,28,56 ac 1,2,4,8,13,26,52,104   FfCM = 8

3) 63   **4)** 12

T.11 Botymau Cyfrifiannell: 1)a) 11/4   **b)** 33/2   **c)** 33/4   **2)a)** 1.70   **b)** 39.96

T.12 Cymhareb Yn Y Cartref: 1) 56c   **2)** £1000 : £1400

T.13 Tarten Llygod A Llyffantod: Rysáit ar gyfer 9: 9 llygoden fawr, 4.5 llyffant 11.25 owns o Saws Sosi Lympiog, 18 taten, darn <u>mawr iawn</u> o grwst (2.25 gwaith cymaint i ddweud y gwir)

T.14 Y Fargen Orau: Y maint mwyaf yw'r fargen orau, sef 1.90 g y geiniog.

T.15 Ffracsiynau, Degolion, Canrannau: a) 6/10 = 3/5 **b)** 2/100 = 1/50 **c)** 77/100 **ch)** 555/1000 = 111/200

d) 56/10 = 28/5 neu 5 3/5

T.16 Ffracsiynau: 1)a) 5/6,   **b)** 2/3   **c)** 15/22   **2)** 3/5, 2/3, 11/15

T.17 Ffracsiynau: 1)a) 5/32 **b)** 32/35   **c)** 23/20 = 1 $3/_{20}$ **ch)** 1/40   **d)** 167/27 = 6 $5/_{27}$ **2)a)** 220 **b)** £1.75

T.20 Canrannau: 1) £120 **2)** 30%

Prawf Adolygu Adran Un

<u>1)</u> Dau ddeg un miliwn, tri chant a chwech mil, pum cant un deg pump

<u>2)a)</u> 2, 23, 45, 123, 132, 789, 2200, 6534 <u>b)</u> -7, -6, -2, 0, 4, 5, 8, 10

<u>3)a)</u> 5230 <u>b)</u> 720000 <u>c)</u> 0.812 <u>ch)</u> 800 <u>d)</u> 200   <u>4)</u> Gweler tud 6 <u>5)</u> 41, 43, 47, 53, 59

<u>6)</u> Tabl lluosi rhif yw lluosrifau;   10, 20, 30, 40, 50, 60 ;   4, 8, 12, 16, 20, 24;

<u>7)</u> Ffactorau rhif yw'r rhifau sy'n rhannu'n union i mewn iddo; 1, 2, 3, 5, 6, 10, 15, 30

<u>8)a)</u> 210 = 2 × 3 × 5 × 7   <u>b)</u> 1050 = 2 × 3 × 5 × 5 × 7   <u>9)</u> 14   <u>10)</u> 40 <u>11)</u> 4/5 <u>12)</u> Gweler Tud. 12

<u>13)</u> £1.45   <u>14)</u> 1000g   <u>15)</u> Y Rheol Aur: "RHANNU Â'R PRIS <u>MEWN CEINIOGAU</u>"; Y mwyaf yw'r fargen orau, sef 4.8 g y geiniog.   <u>16)</u> 645/1000 = 129/200   <u>17)a)</u> 320 <u>b)</u> £60 <u>c)</u> 195

<u>18)a)</u> 88/30 = 44/15 = 2 $14/_{15}$ <u>b)</u> 75/48 = 25/16 = 1 $9/_{16}$ <u>c)</u> 23/8 = 2 $7/_8$ <u>ch)</u> 11/21   <u>19)</u> Gostyngiad o 20%

Atebion

Adran Dau – Profion Hollbwysig

__T.23 Cymesuredd:__
H : 2 linell cym^{edd}, Cym^{edd} cylchdro Trefn 2
T : 1 llinell cym^{edd}, Dim Cym^{edd} cylchdro,
E : 1 llinell cym^{edd}, Dim Cym^{edd} cylchdro,
S : 0 llinell cym^{edd}, Cym^{edd} cylchdro Trefn 2,

Z : 0 llinell cym^{edd}, Cym^{edd} cylchdro Trefn 2,
N : 0 llinell cym^{edd}, Cym^{edd} cylchdro Trefn 2,
×: 4 llinell cym^{edd}, Cym^{edd} cylchdro Trefn 4,

__T.26 Polygonau Rheolaidd:__
1) Polygon rheolaidd yw siâp aml ochr lle mae'r holl ochrau ac onglau yr un fath.
2) Triongl hafalochrog, sgwâr, pentagon rheolaidd, hecsagon rheolaidd, heptagon rheolaidd, octagon rheolaidd
3) Gweler Tud. 26   **4)** Ongl Allanol = 72°, ongl fewnol = 108°   **5)** Ongl Allanol = 30°, ongl fewnol = 150°

__T.27 Perimedrau:__ **2)** 42cm

__T.29 Arwynebeddau:__ **1)** 12cm² **2)** 12m² **3)** 21m² **4)** 78cm²

__T.31 Cwestiynau ar Gylchoedd:__ **1)** Arwynebedd = 154cm², cylchedd = 44cm   **2)** 38.2 troad

__T.32 Cyfaint:__ **a)** Prism Trapesoid, C = 148.5 cm³   **b)** Silindr, C = 0.700 m³ neu 700 000 cm³

__T.33 Solidau a Rhwydi:__ **1)** 128.8cm²   **2)** 294cm² **3)** 174cm² **4)** 96cm²

__T.34 Hyd, Arwynebedd a Chyfaint:__ **1)** πr² = Arwynebedd,   Lwh = Cyfaint,   πd = Perimedr,
½ bh = Arwynebedd,   2bh + 4lb = Arwynebedd,   4r²h + 3πd³ = Cyfaint,   2πr(3L + 5T) = Arwynebedd
2)a) 230,000cm² **b)** 3.45m² **3)a)** 5,200,000cm³ **b)** 0.1m³

__T.35 Cyfathiant a Chyflunedd:__ **1)a)** mae i, ii a iv yn gyflun.   **b)** Mae i a ii yn gyfath.

Prawf Adolygu

<u>1)</u> Cymesuredd Llinell, Cymesuredd plân a Chymesuredd Cylchdro   <u>2)</u> Gweler Tud. 24
<u>3)</u> Gweler tudalennau 22, 25 a 32   <u>4)</u> Golygon – dylai'r petryalau canlynol gael eu braslunio: 6 cm x 2 cm (uwcholwg), 6cm x 2 cm (ochr olwg), 3 cm x 2 cm (blaenolwg). 3 phlân cymesuredd.   <u>5)</u> 45° a 135 °
<u>6)</u> Gweler T.27; Perimedr = 32 cm, Arwynebedd = 32 cm²   <u>7)</u> 45cm²   <u>8)</u> A = π x r²   C = π x D
<u>9)</u> π yw 3.14; 6 m   <u>10)</u> Gweler T. 30   <u>11)</u> 37.7cm   <u>12)</u> 113cm²   <u>13)</u> 47.7 troad   <u>14)</u> 27cm³, 32cm³
<u>15)</u> Gweler T. 33   <u>16)a)</u> hyd <u>b)</u> arwynebedd c) arwynebedd <u>ch)</u> cyfaint   <u>17)a)</u> 25 m² <u>b)</u> 2100000 cm³

Adran Tri – Profion Hollbwysig

__T.37 Unedau Metrig ac Imperial:__ **1)a)** 200 **b)** 65   **2)a)** 2.5 **b)** 1.5   **3)** 3 troedfedd 10 modfedd
4)a) 200 neu 220 llath   **b)** 187.5cm

__T.38) Talgrynnu:__ **2)a)** 3.2 **b)** 1.8 **c)** 2.3 **ch)** 0.5 **d)** 9.8   **3)a)** 3 **b)** 5 **c)** 2 **ch)** 7 **d)** 3

__T.39 Talgrynnu:__ **1)a)** 450 **b)** 680 **c)** 50 **ch)** 100 **d)** 10   **2)a)** 350 **b)** 500 **c)** 12.4 **ch)** 0.036
3)a) 2900 **b)** 500 **c)** 100

__T.41 Manwl Gywirdeb ac Amcangyfrif:__ **1)a)** 230g neu 235g   **b)** 134 mya   **c)** 850g   **ch)** 76cm neu 76.2cm
2)a) Tua 600 milltir x 150 milltir = 90,000 milltir sgwâr   **b)** Tua 7 cm x 7 cm x 10 cm o uchder = 490cm²
3)a) Ateb gwir = 5.831. Derbyn unrhyw beth rhwng 5.5 a 5.9   **b)** 2.236. Derbyn 2.1 i 2.5
c) 7.810. Derbyn 7.5 i 7.9   **ch)** 4.690. Derbyn 4.5 i 4.9

__T.43 Ffactorau Trawsnewid:__ **1)** 160kg **2)** 20 peint

__T.45 Cwestiynau ar Amser y Cloc:__ **1)** 5:15pm **2)** 4:05pm **3)** 1,440 ; 86,400 **4)** 3 awr 30 mun; 5 awr 45 mun

__T.47 Mapiau a Graddfeydd Mapiau:__ **2)** 1400m   **3)** 2½cm

__T.49 Dwysedd a Buanedd:__ **1)** Dwysedd = Màs ÷ Cyfaint   **2)** 16.5 g/cm³   **3)** 603g
4) Buanedd = Pellter ÷ Amser   **5)** Amser = 7 ½ awr Pellter = 11.2 km
__T.50 Cyfeiriadau Cwmpawd a Chyfeiriannau:__ **3)** Gweler llun ar y dde.

Prawf Adolygu

<u>1)</u> 2 droedfedd 6 modfedd   <u>2)a)</u> 1 <u>b)</u> 3 <u>c)</u> 16 <u>ch)</u> 12   <u>3)</u> <u>a)</u> 5.3 <u>b)</u> 3.5 <u>c)</u> 6.2
<u>4)a)</u> 250 <u>b)</u> 900   <u>5)a)</u> 2 <u>b)</u> 2 <u>c)</u> 1 <u>ch)</u> 3 <u>d)</u> 2   <u>6)</u> 10   <u>7)</u> Tua 400cm³
<u>8)</u> Gweler Tud. 42   <u>9)a)</u> £23.44, 80 Sfigled   <u>10)</u> 2700cm³   <u>11)</u> 17 milltir
<u>12)</u> 7640 kg   <u>13)</u> 3 awr 40 munud   <u>14)</u> 7 awr 15 munud   <u>15)</u> Gweler Tud. 50
<u>16)</u> ac <u>17)</u> Gweler llun ar y dde   <u>18)</u> 0.39 m/s   <u>19)</u> 29000 cm³
<u>20)</u> Dylai dimensiynau'r lluniad wrth raddfa fod yn 12 cm x 20 cm

Atebion

Adran Pedwar – Profion Hollbwysig

T.52 Llinellau ac Onglau: **1)** Yr onglau a roddir – derbyn atebion o fewn 10°:
a) 36° **b)** 79° **c)** 162° **ch)** 287°
T.53 Mesur Onglau ag Onglydd: **2)** Gweler tud.53 **3)**
T.55 Llinellau Paralel: Gweler lluniadau ar y dde

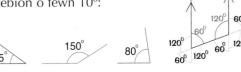

T.57 Y Pedwar Trawsffurfiad: **1)** A → B Cylchdro ¼ troad clocwedd o amgylch y tardd.
2) B → C Adlewyrchiad yn y llinell Y = X. **3)** C → A Adlewyrchiad yn echelin y.
4) A → D Trawsfudiad 9 i'r chwith a 7 i lawr
T.59 Helaethiadau: **1)** 2430 cm^2 **2)** 1875 cm^3
T.60 Cyfuniadau o Drawsffurfiadau: **1)** **C→D**, Adlewyrchiad yn echelin y a helaethiad ffactor graddfa 2, canol yn y tardd, **D→C**, Adlewyrchiad yn echelin y, a helaethiad ffactor graddfa ½, canol yn y tardd.
2) **A'→B**, Cylchdro 180° yn glocwedd neu wrthglocwedd o amgylch pwynt (0,3).
T.64 Theorem Pythagoras: **1)** BC = 8m,
2) Mae 5m, 12m, 13m yn driongl ongl sgwâr oherwydd mae a^2 + b^2 = h^2 yn gweithio.

Prawf Adolygu

1) Gweler top tudalen 52 **2)a)** 68° **b)** 27° **c)** 270° **ch)** 223° **3)** x = 110°, y = 40° **4)** BDE = 40°,
AED = 140°, BDC = 140° **5)a)** cylchdro 90° yn wrthglocwedd o amgylch (0,0) **b)** adlewyrchiad yn llinell y = 1
6) Y = 21cm **7)** Mesurwch yr holl ochrau i wirio ei fod yn gywir. **8)** Gweler tud. 62-63
9)a) 11.7cm **b)** 6.2cm

Adran Pump – Profion Hollbwysig

T.68 Amlder Cymharol: **1) a)** 1/13 **b)** 6/13 **c)** 3/26
2) Glanio ar goch: 0.43, glanio ar las: 0.24, glanio ar wyrdd: 0.33
T.71 Tablau, Siartiau a Graffiau: **2)** NID oes perthynas agos rhyngddynt.
Nid oes cydberthyniad.
T.72 Siartiau Cylch: Gweler siart cylch ar y dde.
T.73 Cymedr, Canolrif, Modd ac Amrediad:
1) Yn gyntaf, gwnewch hyn: -14, -12, -5, -5, 0, 1, 3, 6, 7, 8, 10, 14, 18, 23, 25
Cymedr = 5.27, Canolrif = 6, Modd = -5, Amrediad = 39

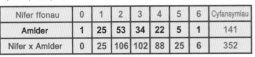

T.74 Tablau Amlder:
Gweler tabl ar y dde. Cymedr = 2.5, Modd = 2, Amrediad = 6

Nifer ffonau	0	1	2	3	4	5	6	Cyfansymiau
Amlder	1	25	53	34	22	5	1	141
Nifer x Amlder	0	25	106	102	88	25	6	352

T.75 Tablau Amlder Grŵp:
1)a) Arwahanol, tabl posibl:
Colofnau "Maint esgid" ac "amlder",
Cyfyngau maint esgid: 3, 4, 5, 6, 7, 8, 9, 10, 11, 12.
b) Di-dor, tabl posibl:
Colofnau "Taldra (cm)" ac "amlder", cyfyngau:
140 ≤ t < 150, 150 ≤ t < 160, 160 ≤ t < 170, ayb.
T.76 (Gweler tabl ar y dde)
1) Cymedr = 17.4 cm **2)** Grŵp Moddol = 17.5 ≤ H < 18.5

Hyd H (cm)	15.5≤H<16.5	16.5≤H<17.5	17.5≤H<18.5	18.5≤H<19.5	Cyfansymiau
Amlder	12	18	23	8	61
Gwerth Canol Cyfwng	16	17	18	19	—
Amlder x G CC	192	306	414	152	1064

Prawf Adolygu

1) 7/15 **2)** P-P, P-C, C-P, C-C ¼ **3)** P-1, P-2, P-3, P-4, P-5, P-6, C-1, C-2, C-3, C-4, C-5, C-6 1/12
4) 0.8 **5)** Pictogram, 35 cwsmer blin **6)** Graff gwasgariad, ddim yn dda o gwbl
7) Onglau = Glas 108°, Coch 135°, Melyn 36°, Gwyn 81°. Gweler siart cylch.
8) Yn gyntaf, rhowch mewn trefn: 2, 3, 4, 6, 7, 7, 12, 15 **a)** 7 **b)** 6.5 **c)** 7 **ch)** 13
9) Gwerthoedd p o 50 i 60 **yn cynnwys** 50, ond **nid yn cynnwys** 60. Byddai 60 yn mynd i'r grŵp nesaf.
10) Grŵp moddol yw 120 < p ≤ 150. Cymedr = ((75x15) + (105x60) + (135x351) +
(165x285) + (195x206) + (225x83)) ÷ 1000 = 160680 ÷ 1000 = 161 mun

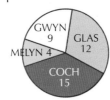

Atebion

Adran Chwech – Profion Hollbwysig

T.78 Cyfesurynnau X, Y a Z:
A(4,5)   B(6,0)   C(5,-5)   D(0,-3)   E(-5,-2)   F(-4,0)   G(-3,3)   H(0,5)

T.79 Canolbwynt Segment Llinell: 1) (3,5)   **2)** (5,1)

T.81 Graffiau Llinell Syth: 2)

x	-4	-2	-1	0	1	2	4
y	-6	-4	-3	-2	-1	0	2

3)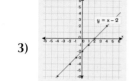

T.82 Graffiau Llinell Syth — Graddiannau: Graddiant = -1.5

3 Graffiau Llinell Syth — y = mx + c:

1) 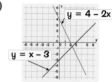   **2)**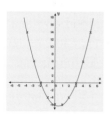

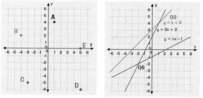

T.84 Graffiau Cwadratig:
Gweler graff ar y dde. Gan ddefnyddio'r graff, y datrysiadau yw x = -2 ac x = 3.

T.85 Hafaliadau Cydamserol gyda Graffiau: 2)a) x=2, y=4   **b)** x=1½, y=3

Prawf Adolygu

1) Gweler graff ar y dde   **2)** (-1.5, 3), (0.5, -2), (1, -2.5)
3) Gweler graff ar y dde   **4)** Graddiant m = 3, hafaliad yw y = 3x +1
5)a) llinell syth **b)** cwadratig **c)** llinell syth **ch)** cwadratig
6) o'r graff (gweler ar y dde), x = -2, y = -2   **7)a)** Yn crwydro oddi cartref.
b) Aros yn ei hunfan yn bwyta gwair. **c)** 2½km **ch)** 8:30pm **8)** 1 km/awr
9) 0.7 litr/s

x	-5	-3	-1	0	1	2	4	6
y	-2	0	2	3	4	5	7	9

Adran Saith – Profion Hollbwysig

T.89 Rhifau Negatif a Llythrennau: 1)a) +12 (Rheol 1)   **b)** -6 (Rheol1/Rheol 2)
c) x (Rheol 2, yna Rheol 1) **ch)** -3 (Rheol 1)   **2) a)** +18   **b)** -216   **c)** 2   **ch)** -27   **d)** -336

T.90 Pwerau: 1) a) 3^8 **b)** 4 **c)** 8^{12} **ch)** 1 **d)** 7^6 **2) a)** 5^{12} **b)** 36 neu 6^2 **c)** 2^5

T.91 Ail israddau a Thrydydd Israddau: **1)a)** 14.14 **b)** 20, gwerth arall yn a) yw -14.14 **2)a)** g = 6 neu -6
b) b = 4 **c)** r = 3 neu -3

T.92 – 93 Algebra: 1)a) 4x + y – 4   **b)** 9x + 5xy – 5   **c)** $5x + 3x^2 + 5y^2$ **ch)** 6y – 4xy   **2)a)** 2x – 4 **b)** $5x + x^2$
c) $y^2 + xy$ **ch)** 6xy – 18y   **T93: 1)a)** $x^2 + 3x + 2$ **b)** $y^2 + y – 12$ **c)** $x^2 + 10x + 25$ **ch)** $3x^2 – 13x + 4$
d) $2x^2 + 5x + 2$ **dd)** $4x^2 – 4x + 1$ **2) a)** 5x(y + 3)   **b)** a(5 – 7b)   **c)** 6y(2x + 1 – 6y)

T.95 Ffurf Indecs Safonol: 1) 1. Rhaid i'r rhif blaen bob amser fod rhwng 1 a 10.
2. Pŵer 10, n, yn syml yw: pa mor bell mae'r pwynt degol yn symud.   3. Mae n yn bositif ar gyfer rhifau mawr, mae n yn negatif ar gyfer rhifau bach (Mae hyn yn llawer gwell na rheolau sy'n seiliedig ar y ffordd mae'r pwynt degol yn symud) **2)** 9.58×10^5 **3)** 1.8×10^{-4} **4)** 4560 **5)** 2×10^{21} , 2,000,00.....(21 sero!)

T.97 Patrymau Rhif a Dilyniannau: 1)a) 20, 27 "Adio un ychwanegol bob tro" **b)** 2,000   20,000 "Lluosi'r term blaenorol â 10" **c)** 4, 2 "Rhannu'r term blaenorol â 2"   **2)** 2n + 5

T.98 Gwneud Fformiwlâu o Eiriau: 1) y = 5x – 3   **2)** C = 95n

T.99 Amnewid Gwerthoedd mewn Fformiwlâu: 2) 25

T.100 Datrys Hafaliadau: 1) x = 8   **2)** x = 7

T.101 Datrys Hafaliadau: 1) a) x = 4   **b)** q = 32   **c)** y = -2   **2)** b =½a + 3

T.102 Cynnig a Gwella: x = 1.6

T.103 Anhafaleddau: 1) x ≥ -2   **2)** x ≥ -4, x < 2, x = -4, -3, -2 , -1, 0, 1

Prawf Adolygu

1)a) +6   **b)** –32   **c)** –3   **ch)** +5   **2)a)** 1296 **b)** 16807 **c)** 16 **ch)** 248832 **d)** 2048000   **dd)** 512   **3)a)** +16, –16
b) 6   **4)** 5x   **5)a)** 12g + 20h – 4 **b)** $x^2 – 4x – 12$ **6)** 2x(1 + 3y)   **7)** 3.56×10^{10} **8)a)** 19, 23; adio 4 at y term blaenorol **b)** 6, 3; tynnu un yn llai bob tro **c)** 48, 96; dyblu'r term blaenorol **ch)** 150, 75; haneru'r term blaenorol **d)** 31, 50; adio'r ddau derm blaenorol   **9)** nfed rhif = 4n – 3   **10)** y = 2x + 4   **11)** x = 4
12) 86°F diwrnod poeth **13)a)** x = 2   **b)** x = 3   **c)** x = -7   **14)a)** y = 6 – x **b)** y = (x – 11) / 2
c) y = 3(7x + 3) neu y = 21x + 9   **15)** x = 5.5 i 1 lle degol.   **16)a)** x < 5 **b)** x < -1 **c)** x > -5 **ch)** x > 10

Mynegai

Mynegai